MOLIÈRE

Jean-Baptiste Poquelin, dit Molière, est né en 1622 à Paris. Fils d'un père tapissier, il perd sa mère à l'âge de dix ans. Après avoir suivi des études dans un collège jésuite, il se destine un temps à une carrière d'avocat, mais sa rencontre avec Tiberio Fiorelli, dit Scaramouche, et avec Madeleine Béjart, le détourne de ses projets. Ils décident de monter une troupe de comédiens, « L'Illustre-Théâtre », qui s'inspire de la tradition italienne de la *commedia dell'arte*. Ensemble, ils connaissent des succès divers en province et dans les salles parisiennes.

Molière a apporté au théâtre un regard incisif sur le monde, qu'il doit à son observation minutieuse des caractères et de leurs travers. À la fois auteur et acteur, on lui doit nombre de pièces comiques, notamment : *Les Précieuses ridicules* (1659), *Sganarelle ou le Cocu imaginaire* (1660), *L'École des femmes* (1662), *Dom Juan* (1665) ou encore *Les Fourberies de Scapin* (1671).

Il meurt sur scène lors d'une dernière représentation du *Malade imaginaire* en 1673.

DOM JUAN

OU

LE FESTIN DE PIERRE

(Re)découvrez 20 titres incontournables à 1,50 euro :

BALZAC,
Le Colonel Chabert - n°12358

BAUDELAIRE,
Les Fleurs du mal - n°12351

BEAUMARCHAIS,
Le Mariage de Figaro - n°12360

DIDEROT,
Supplément au Voyage de Bougainville - n°12369

FLAUBERT,
Trois Contes - n°12362

HUGO,
Le Dernier Jour d'un condamné - n°12363

LA BRUYÈRE,
De la cour, Des grands suivis de *Du souverain ou de la république* - n°12366

MARIVAUX,
L'Île des Esclaves suivie de *La Colonie* - n°12364

MAUPASSANT,
Boule de suif suivie de *Mademoiselle Fifi* - n°12350
Le Horla et autres nouvelles fantastiques - n°12349,
Pierre et Jean - n°12365

MÉRIMÉE,
Carmen - n°12359,
La Vénus d'Ille suivie de *Djoumâne* et de *Les Sorcières espagnoles* - n°12367

MOLIÈRE,
Dom Juan - n°12368, *L'Avare* - n°12352, *Les Fourberies de Scapin* - n°12354

VOLTAIRE,
Candide - n°12355, *L'Ingénu* - n°12356, *Zadig* suivi de *Micromégas* - n°12357

ZOLA,
Thérèse Raquin - n°12353

... Autant de titres qui ont marqué la vie littéraire française, autant d'auteurs qui continuent à toucher des générations de lecteurs par leur génie.
Un tête-à-tête privilégié avec des textes essentiels toujours d'actualité.

MOLIÈRE

DOM JUAN

OU

LE FESTIN DE PIERRE

Dom Juan fut représenté pour la première fois le 15 février 1665.

La pièce, qui ne fut pas publiée du vivant de Molière, est ressuscitée par la Comédie-Française en 1847.

© 2004, Pocket, département d'Univers Poche.

ISBN : 2-266-14724-2

PERSONNAGES

DON[1] JUAN, *fils de Don Louis.*
SGANARELLE, *valet de Don Juan.*
ELVIRE, *femme de Don Juan.*
GUSMAN, *écuyer d'Elvire.*
DON CARLOS, *frère d'Elvire.*
DON ALONSE, *frère d'Elvire.*
DON LOUIS, *père de Don Juan.*
FRANCISQUE, *pauvre.*
CHARLOTTE, *paysanne.*
MATHURINE, *paysanne.*
PIERROT, *paysan.*
LA STATUE DU COMMANDEUR.
LA VIOLETTE, *laquais de Don Juan.*
RAGOTIN, *laquais de Don Juan.*
MONSIEUR DIMANCHE, *marchand.*
LA RAMÉE, *spadassin.*
Suite de Don Juan.
Suite de Don Carlos et de Don Alonse, frères.
Un Spectre.

La scène est en Sicile.

1. Dom, graphie de l'époque, est conservé pour le titre ; la graphie moderne Don est utilisée dans la pièce.

ACTE I

Le théâtre représente un palais.

SCÈNE 1
Sganarelle, Gusman.

SGANARELLE, *tenant une tabatière.*

Quoi que puisse dire Aristote et toute la Philosophie, il n'est rien d'égal au tabac : c'est la passion des honnêtes gens ; et qui vit sans tabac n'est pas digne de vivre. Non seulement il réjouit et purge les cerveaux humains, mais encore il instruit les âmes à la vertu, et l'on apprend avec lui à devenir honnête homme. Ne voyez-vous pas bien, dès qu'on en prend, de quelle manière obligeante on en use avec tout le monde, et comme on est ravi d'en donner à droite et à gauche, partout où l'on se trouve ? On n'attend pas même qu'on en demande, et l'on court au-devant du souhait des gens : tant il est vrai que le tabac inspire des sentiments d'honneur et de vertu à tous ceux qui en prennent. Mais c'est assez de cette matière. Reprenons un peu notre discours. Si bien donc, cher Gusman, que Done Elvire, ta maîtresse, surprise de notre départ, s'est mise en campagne après nous, et son cœur, que mon maître a su toucher trop fortement, n'a pu vivre, dis-tu, sans le venir chercher ici. Veux-tu qu'entre nous je te dise ma pensée ? J'ai peur qu'elle ne soit mal payée de son amour, que son voyage en cette ville produise peu de fruit, et que vous eussiez autant gagné à ne bouger de là.

GUSMAN

Et la raison encore ? Dis-moi, je te prie, Sganarelle, qui peut t'inspirer une peur d'un si mauvais augure ? Ton maître t'a-t-il ouvert son cœur là-dessus, et t'a-t-il dit qu'il eût pour nous quelque froideur qui l'ait obligé à partir ?

SGANARELLE

Non pas ; mais, à vue de pays, je connais à peu près le train des choses ; et sans qu'il m'ait encore rien dit, je gagerais presque que l'affaire va là. Je pourrais peut-être me tromper ; mais enfin, sur de tels sujets, l'expérience m'a pu donner quelques lumières.

GUSMAN

Quoi ? ce départ si peu prévu serait une infidélité de Don Juan ? Il pourrait faire cette injure aux chastes feux de Done Elvire ?

SGANARELLE

Non, c'est qu'il est jeune encore, et qu'il n'a pas le courage...

GUSMAN

Un homme de sa qualité ferait une action si lâche ?

SGANARELLE

Eh oui, sa qualité ! La raison en est belle, et c'est par là qu'il s'empêcherait des choses.

GUSMAN

Mais les saints nœuds du mariage le tiennent engagé.

SGANARELLE

Eh ! mon pauvre Gusman, mon ami, tu ne sais pas encore, crois-moi, quel homme est Don Juan.

GUSMAN

Je ne sais pas, de vrai, quel homme il peut être, s'il faut qu'il nous ait fait cette perfidie ; et je ne comprends point comme après tant d'amour et tant d'impatience témoignée, tant d'hommages pressants, de vœux, de soupirs et de larmes, tant de lettres passionnées, de protestations ardentes et de serments réitérés, tant de transports enfin et tant d'emportements qu'il a fait paraître, jusqu'à forcer, dans sa passion, l'obstacle sacré d'un couvent, pour mettre Done Elvire en sa puissance, je ne comprends pas, dis-je, comme, après tout cela, il aurait le cœur de pouvoir manquer à sa parole.

SGANARELLE

Je n'ai pas grande peine à le comprendre, moi ; et si tu connaissais le pèlerin, tu trouverais la chose assez facile pour lui. Je ne dis pas qu'il ait changé de sentiments pour Done Elvire, je n'en ai point de certitude encore : tu sais que, par son ordre, je partis avant lui, et depuis son arrivée il ne m'a point entretenu ; mais, par précaution, je t'apprends, *inter nos* [1], que tu vois en Don Juan, mon maître, le plus grand scélérat que la terre ait jamais porté, un enragé, un chien, un diable, un Turc, un hérétique, qui ne croit ni Ciel, ni Enfer, ni loup-garou, qui passe cette vie en véritable bête brute, un pourceau d'Épicure, un vrai Sardanapale, qui ferme l'oreille à toutes les remontrances chrétiennes qu'on lui peut faire, et traite de billevesées tout ce que nous croyons. Tu me dis qu'il a épousé ta maîtresse : crois qu'il aurait plus fait pour sa passion, et qu'avec elle il aurait encore épousé toi, son chien et son chat. Un mariage ne lui coûte rien à contracter ; il ne se sert point d'autres pièges pour attraper les belles, et c'est un épouseur à toutes mains. Dame, demoiselle, bourgeoise, paysanne, il ne trouve rien de trop chaud ni de trop froid pour lui ; et si je te disais le nom de toutes celles qu'il a épousées en divers lieux, ce serait un chapitre à durer jusques au soir. Tu demeures surpris et changes de couleur à ce discours ; ce n'est là qu'une ébauche du personnage, et pour en achever le portrait, il faudrait bien d'autres coups de pinceaux. Suffit qu'il faut que le courroux du Ciel l'accable quelque jour ; qu'il me vaudrait bien mieux d'être au diable que d'être à lui, et qu'il me fait voir tant d'horreurs, que je souhaiterais qu'il fût déjà je ne sais où. Mais un grand seigneur méchant homme est une terrible chose ; il faut que je lui sois fidèle, en dépit que j'en aie : la crainte en moi fait l'office du zèle, bride mes sentiments, et me réduit d'applaudir

---

1. « Entre nous », en latin.

bien souvent à ce que mon âme déteste. Le voilà qui vient se promener dans ce palais : séparons-nous. Écoute au moins ; je t'ai fait cette confidence avec franchise, et cela m'est sorti un peu bien vite de la bouche ; mais s'il fallait qu'il en vînt quelque chose à ses oreilles, je dirais hautement que tu aurais menti.

SCÈNE 2
Don Juan, Sganarelle.

DON JUAN

Quel homme te parlait là ? Il a bien de l'air, ce me semble, du bon Gusman de Done Elvire.

SGANARELLE

C'est quelque chose aussi à peu près de cela.

DON JUAN

Quoi ? c'est lui ?

SGANARELLE

Lui-même.

DON JUAN

Et depuis quand est-il en cette ville ?

SGANARELLE

D'hier au soir.

DON JUAN

Et quel sujet l'amène ?

SGANARELLE

Je crois que vous jugez assez ce qui le peut inquiéter.

DON JUAN

Notre départ sans doute ?

SGANARELLE

Le bonhomme en est tout mortifié, et m'en demandait le sujet.

DON JUAN

Et quelle réponse as-tu faite ?

SGANARELLE

Que vous ne m'en aviez rien dit.

DON JUAN

Mais encore, quelle est ta pensée là-dessus ? Que t'imagines-tu de cette affaire ?

SGANARELLE

Moi, je crois, sans vous faire tort, que vous avez quelque nouvel amour en tête.

DON JUAN

Tu le crois ?

SGANARELLE

Oui.

DON JUAN

Ma foi, tu ne te trompes pas, et je dois t'avouer qu'un autre objet a chassé Elvire de ma pensée.

SGANARELLE

Eh ! mon Dieu ! je sais mon Don Juan sur le bout du doigt, et connais votre cœur pour le plus grand coureur du monde : il se plaît à se promener de liens en liens, et n'aime guère demeurer en place.

DON JUAN

Et ne trouves-tu pas, dis-moi, que j'ai raison d'en user de la sorte ?

SGANARELLE

Eh ! Monsieur.

DON JUAN

Quoi ? Parle.

SGANARELLE

Assurément que vous avez raison, si vous le voulez ; on ne peut pas aller là contre. Mais si vous ne le vouliez pas, ce serait peut-être une autre affaire.

DON JUAN

Eh bien ! je te donne la liberté de parler et de me dire tes sentiments.

SGANARELLE

En ce cas, Monsieur, je vous dirai franchement que je n'approuve point votre méthode, et que je trouve fort vilain d'aimer de tous côtés comme vous faites.

DON JUAN

Quoi ? tu veux qu'on se lie à demeurer au premier objet qui nous prend, qu'on renonce au monde pour lui, et qu'on n'ait plus d'yeux pour personne ? La belle chose de vouloir se piquer d'un faux honneur d'être fidèle, de s'ensevelir pour toujours dans une passion, et d'être mort dès sa jeunesse à toutes les autres beautés qui nous peuvent frapper les yeux ! Non, non : la constance n'est bonne que pour des ridicules ; toutes les belles ont droit de nous char-mer, et l'avantage d'être rencontrée la première ne doit point dérober aux autres les justes prétentions qu'elles ont toutes sur nos cœurs. Pour moi, la beauté me ravit partout où je la trouve ; et je cède facilement à cette douce violence dont elle nous entraîne. J'ai beau être engagé, l'amour que j'ai pour une belle n'engage point mon âme à faire injustice aux autres ; je conserve des yeux pour voir le mérite de toutes, et rends à chacune les hommages et les tributs où la nature nous oblige. Quoi qu'il en soit, je ne puis refuser mon cœur à tout ce que je vois d'aimable ; et dès qu'un beau visage me le demande, si j'en avais dix mille, je les donnerais tous. Les inclinations naissantes, après tout, ont des charmes inexplicables, et tout le plaisir de l'amour est dans le changement. On goûte une douceur extrême à réduire, par cent hommages, le cœur d'une jeune beauté, à voir de jour en jour les petits progrès qu'on y fait ; à combattre par des transports, par des larmes et des soupirs, l'innocente pudeur d'une âme qui a peine à rendre les armes ; à forcer pied à pied toutes les petites résistances qu'elle nous oppose, à vaincre les scrupules dont elle se fait un honneur et la mener doucement où nous avons envie de la faire venir. Mais lorsqu'on en est maître une fois, il n'y a plus rien à dire ni rien à souhaiter ; tout le beau de la passion est fini, et nous nous endormons dans la tranquillité d'un tel amour, si quelque objet nouveau ne vient réveiller nos désirs, et présenter à notre cœur les charmes attrayants d'une conquête à faire. Enfin il n'est rien de si doux que de triompher de la résistance d'une belle personne, et j'ai sur ce sujet l'ambition des conquérants, qui volent perpétuellement de victoire en victoire, et ne peuvent se résoudre à borner leurs souhaits. Il n'est rien qui puisse arrêter l'impétuosité de mes désirs ; je me sens un cœur à aimer toute la terre ; et comme Alexandre, je souhaiterais qu'il y eût d'autres mondes, pour y pouvoir étendre mes conquêtes amoureuses.

SGANARELLE

Vertu de ma vie, comme vous débitez ! Il semble que vous avez appris cela par cœur, et vous parlez tout comme un livre.

DON JUAN

Qu'as-tu à dire là-dessus ?

SGANARELLE

Ma foi ! j'ai à dire..., je ne sais que dire ; car vous tournez les choses d'une manière, qu'il semble que vous avez raison ; et cependant il est vrai que vous ne l'avez pas. J'avais les plus belles pensées du monde, et vos discours m'ont brouillé tout cela. Laissez faire : une autre fois je mettrai mes raisonnements par écrit, pour disputer avec vous.

DON JUAN

Tu feras bien.

SGANARELLE

Mais, Monsieur, cela serait-il de la permission que vous m'avez donnée, si je vous disais que je suis tant soit peu scandalisé de la vie que vous menez ?

DON JUAN

Comment ? quelle vie est-ce que je mène ?

SGANARELLE

Fort bonne. Mais, par exemple, de vous voir tous les mois vous marier comme vous faites...

DON JUAN

Y a-t-il rien de plus agréable ?

SGANARELLE

Il est vrai, je conçois que cela est fort agréable et fort divertissant, et je m'en accommoderais assez, moi, s'il n'y avait point de mal, mais, Monsieur, se jouer ainsi d'un mystère sacré, et...

DON JUAN

Va, va, c'est une affaire entre le Ciel et moi, et nous la démêlerons bien ensemble, sans que tu t'en mettes en peine.

SGANARELLE

Ma foi ! Monsieur, j'ai toujours ouï dire que c'est une méchante raillerie que de se railler du Ciel, et que les libertins ne font jamais une bonne fin.

DON JUAN

Holà ! maître sot, vous savez que je vous ai dit que je n'aime pas les faiseurs de remontrances.

SGANARELLE

Je ne parle pas aussi à vous, Dieu m'en garde. Vous savez ce que vous faites, vous ; et si vous ne croyez rien, vous avez vos raisons ; mais il y a de certains petits impertinents dans le monde, qui sont libertins sans savoir pourquoi, qui font les esprits forts, parce qu'ils croient que cela leur sied bien ; et si j'avais un maître comme cela, je lui dirais fort nettement, le regardant en face : « Osez-vous bien ainsi vous jouer au Ciel, et ne tremblez-vous point de vous moquer comme vous faites des choses les plus saintes ? C'est bien à vous, petit ver de terre, petit mirmidon que vous êtes (je parle au maître que j'ai dit), c'est bien à vous à vouloir vous mêler de tourner en raillerie ce que tous les hommes révèrent. Pensez-vous que pour être de qualité, pour avoir une perruque blonde et bien frisée, des plumes à votre chapeau, un habit bien doré, et des rubans couleur de feu (ce n'est pas à vous que je parle, c'est à l'autre), pensez-vous, dis-je, que vous en soyez plus habile homme, que tout vous soit permis, et qu'on n'ose vous dire vos vérités ? Apprenez de moi, qui suis votre valet, que le Ciel punit tôt ou tard les impies, qu'une méchante vie amène une méchante mort, et que... »

DON JUAN

Paix !

SGANARELLE

De quoi est-il question ?

DON JUAN

Il est question de te dire qu'une beauté me tient au cœur, et qu'entraîné par ses appas, je l'ai suivie jusques en cette ville.

SGANARELLE

Et n'y craignez-vous rien, Monsieur, de la mort de ce commandeur que vous tuâtes il y a six mois ?

DON JUAN

Et pourquoi craindre ? Ne l'ai-je pas bien tué ?

SGANARELLE

Fort bien, le mieux du monde, et il aurait tort de
se plaindre.

DON JUAN

J'ai eu ma grâce de cette affaire.

SGANARELLE

Oui, mais cette grâce n'éteint pas peut-être le
ressentiment des parents et des amis, et...

DON JUAN

Ah ! n'allons point songer au mal qui nous peut
arriver, et songeons seulement à ce qui nous peut
donner du plaisir. La personne dont je te parle est une
jeune fiancée, la plus agréable du monde, qui a été
conduite ici par celui même qu'elle y vient épouser ;
et le hasard me fit voir ce couple d'amants trois ou
quatre jours avant leur voyage. Jamais je n'ai vu deux
personnes être si contents l'un de l'autre, et faire
éclater plus d'amour. La tendresse visible de leurs
mutuelles ardeurs me donna de l'émotion ; j'en fus
frappé au cœur et mon amour commença par la jalou-
sie. Oui, je ne pus souffrir d'abord de les voir si bien
ensemble ; le dépit alarma mes désirs, et je me figurai
un plaisir extrême à pouvoir troubler leur intelligence,
et rompre cet attachement, dont la délicatesse de mon
cœur se tenait offensée ; mais jusques ici tous mes

efforts ont été inutiles, et j'ai recours au dernier remède. Cet époux prétendu doit aujourd'hui régaler sa maîtresse d'une promenade sur mer. Sans t'en avoir rien dit, toutes choses sont préparées pour satisfaire mon amour, et j'ai une petite barque et des gens, avec quoi fort facilement je prétends enlever la belle.

SGANARELLE

Ha ! Monsieur...

DON JUAN

Hen ?

SGANARELLE

C'est fort bien à vous, et vous le prenez comme il faut. Il n'est rien tel en ce monde que de se contenter.

DON JUAN

Prépare-toi donc à venir avec moi, et prends soin toi-même d'apporter toutes mes armes, afin que... *(Il aperçoit Done Elvire.)* Ah ! rencontre fâcheuse. Traître, tu ne m'avais pas dit qu'elle était ici elle-même.

SGANARELLE

Monsieur, vous ne me l'avez pas demandé.

DON JUAN

Est-elle folle, de n'avoir pas changé d'habit, et de venir en ce lieu-ci avec son équipage [1] de campagne ?

---

1. Ses vêtements.

SCÈNE 3
Done Elvire, Don Juan, Sganarelle.

DONE ELVIRE

Me ferez-vous la grâce, Don Juan, de vouloir bien me reconnaître ? et puis-je au moins espérer que vous daigniez tourner le visage de ce côté ?

DON JUAN

Madame, je vous avoue que je suis surpris, et que je ne vous attendais pas ici.

DONE ELVIRE

Oui, je vois bien que vous ne m'y attendiez pas ; et vous êtes surpris, à la vérité, mais tout autrement que je ne l'espérais ; et la manière dont vous le paraissez me persuade pleinement ce que je refusais de croire. J'admire ma simplicité et la faiblesse de mon cœur à douter d'une trahison que tant d'apparences me confirmaient. J'ai été assez bonne, je le confesse, ou plutôt assez sotte pour me vouloir tromper moi-même, et travailler à démentir mes yeux et mon jugement. J'ai cherché des raisons pour excuser à ma tendresse le relâchement d'amitié qu'elle voyait en vous ; et je me suis forgé exprès cent sujets légitimes d'un départ si précipité, pour vous justifier du crime dont ma raison vous accusait. Mes justes soupçons chaque jour avaient beau me parler : j'en rejetais la voix qui vous rendait criminel à mes yeux, et j'écoutais avec plaisir mille chimères ridicules qui vous peignaient innocent à mon cœur. Mais enfin cet abord ne me permet plus de douter, et le coup d'œil

qui m'a reçue m'apprend bien plus de choses que je
ne voudrais en savoir. Je serai bien aise pourtant
d'ouïr de votre bouche les raisons de votre départ.
Parlez, Don Juan, je vous prie, et voyons de quel air
vous saurez vous justifier !

DON JUAN

Madame, voilà Sganarelle qui sait pourquoi je suis
parti.

SGANARELLE, *bas à Don Juan.*

Moi, Monsieur ? Je n'en sais rien, s'il vous plaît.

DONE ELVIRE

Hé bien ! Sganarelle, parlez. Il n'importe de quelle
bouche j'entende ces raisons.

DON JUAN, *faisant signe d'approcher à Sganarelle.*

Allons, parle donc à Madame.

SGANARELLE, *bas à Don Juan.*

Que voulez-vous que je dise ?

DONE ELVIRE

Approchez, puisqu'on le veut ainsi, et me dites un
peu les causes d'un départ si prompt.

DON JUAN

Tu ne répondras pas ?

SGANARELLE, *bas à Don Juan.*

Je n'ai rien à répondre. Vous vous moquez de votre serviteur.

DON JUAN

Veux-tu répondre, te dis-je ?

SGANARELLE

Madame...

DONE ELVIRE

Quoi ?

SGANARELLE, *se retournant vers son maître.*

Monsieur...

DON JUAN, *en le menaçant.*

Si...

SGANARELLE

Madame, les conquérants, Alexandre et les autres mondes sont causes de notre départ. Voilà, Monsieur, tout ce que je puis dire.

DONE ELVIRE

Vous plaît-il, Don Juan, nous éclaircir ces beaux mystères ?

DON JUAN

Madame, à vous dire la vérité...

DONE ELVIRE

Ah ! que vous savez mal vous défendre pour un homme de cour, et qui doit être accoutumé à ces sortes de choses ! J'ai pitié de vous voir la confusion que vous avez. Que ne vous armez-vous le front d'une noble effronterie ? Que ne me jurez-vous que vous êtes toujours dans les mêmes sentiments pour moi, que vous m'aimez toujours avec une ardeur sans égale, et que rien n'est capable de vous détacher de moi que la mort ? Que ne me dites-vous que des affaires de la dernière conséquence vous ont obligé à partir sans m'en donner avis ; qu'il faut que, malgré vous, vous demeuriez ici quelque temps, et que je n'ai qu'à m'en retourner d'où je viens, assurée que vous suivrez mes pas le plus tôt qu'il vous sera possible ; qu'il est certain que vous brûlez de me rejoindre, et qu'éloigné de moi, vous souffrez ce que souffre un corps qui est séparé de son âme ? Voilà comme il faut vous défendre, et non pas être interdit comme vous êtes.

DON JUAN

Je vous avoue, Madame, que je n'ai point le talent de dissimuler, et que je porte un cœur sincère. Je ne vous dirai point que je suis toujours dans les mêmes sentiments pour vous, et que je brûle de vous rejoindre, puisque enfin il est assuré que je ne suis parti que pour vous fuir ; non point par les raisons que vous pouvez vous figurer, mais par un pur motif de conscience, et pour ne croire pas qu'avec vous davantage je puisse vivre sans péché. Il m'est venu des scrupules, Madame, et j'ai ouvert les yeux de l'âme sur ce que je faisais. J'ai fait réflexion que, pour vous épouser, je vous ai dérobée à la clôture d'un couvent, que vous avez rompu des vœux qui vous engageaient autre part, et que le Ciel est fort jaloux de ces sortes de choses. Le repentir m'a pris, et j'ai craint le courroux céleste. J'ai cru que notre mariage n'était qu'un adultère déguisé, qu'il nous attirerait quelque disgrâce d'en haut, et qu'enfin je devais tâcher de vous oublier, et vous donner moyen de retourner à vos premières chaînes. Voudriez-vous, Madame, vous opposer à une si sainte pensée, et que j'allasse, en vous retenant, me mettre le Ciel sur les bras, que par...

DONE ELVIRE

Ah ! scélérat, c'est maintenant que je te connais tout entier ; et pour mon malheur, je te connais lorsqu'il n'en est plus temps, et qu'une telle connaissance ne peut plus me servir qu'à me désespérer. Mais sache que ton crime ne demeurera pas impuni, et que le même Ciel dont tu te joues me saura venger de ta perfidie.

DON JUAN

Sganarelle, le Ciel !

SGANARELLE

Vraiment oui, nous nous moquons bien de cela, nous autres.

DON JUAN

Madame...

DONE ELVIRE

Il suffit. Je n'en veux pas ouïr davantage, et je m'accuse même d'en avoir trop entendu. C'est une lâcheté que de se faire expliquer trop sa honte ; et, sur de tels sujets, un noble cœur, au premier mot, doit prendre son parti. N'attends pas que j'éclate ici en reproches et en injures : non, non, je n'ai point un courroux à exhaler en paroles vaines, et toute sa chaleur se réserve pour sa vengeance. Je te le dis encore, le Ciel te punira, perfide, de l'outrage que tu me fais ; et si le Ciel n'a rien que tu puisses appréhender, appréhende du moins la colère d'une femme offensée.

SGANARELLE

Si le remords le pouvait prendre !

DON JUAN, *après une petite réflexion.*

Allons songer à l'exécution de notre entreprise amoureuse.

SGANARELLE

Ah ! quel abominable maître me vois-je obligé de servir !

ACTE II

*La scène se passe à la campagne, au bord de la mer,
et non loin de la ville.*

SCÈNE 1
Charlotte, Pierrot.

CHARLOTTE

Nostre-dinse [1], Piarrot, tu t'es trouvé là bien à point.

PIERROT

Parquienne [2], il ne s'en est pas fallu l'épaisseur
d'une éplinque qu'ils ne se sayent nayés tous deux.

CHARLOTTE

C'est donc le coup de vent da matin qui les avait
renvarsés dans la mar ?

PIERROT

Aga, guien [3], Charlotte, je m'en vas te conter
tout fin drait comme cela est venu ; car, comme dit
l'autre, je les ai le premier avisés, avisés le premier
je les ai. Enfin donc j'estions sur le bord de la mar,

1. Parler régional et paysan : Notre-Dame.
2. Par Dieu.
3. Regarde, tiens.

moi et le gros Lucas, et je nous amusions à batifoler
avec des mottes de tarre que je nous jesquions à la
teste ; car, comme tu sais bian, le gros Lucas aime à
batifoler, et moi par fouas je batifole itou. En bati-
folant donc, pisque batifoler y a, j'ai aparçu de tout
loin queuque chose qui grouillait dans gliau, et qui
venait comme envars nous par secousse. Je voyais
cela fixiblement, et pis tout d'un coup je voyais
que je ne voyais plus rien. « Eh ! Lucas, ç'ai-je fait,
je pense que vlà des hommes qui nageant là-bas.
– Voire, ce m'a-t-il fait, t'as esté au trépassement
d'un chat, t'as la vue trouble. – Palsanquienne, ç'ai-je
fait, je n'ai point la vue trouble : ce sont des hommes. – Point du tout, ce m'a-t-il fait, t'as la barlue.
– Veux-tu gager, ç'ai-je fait, que je n'ai point la
barlue, ç'ai-je fait, et que sont deux hommes, ç'ai-je
fait, qui nageant droit ici ? ç'ai-je fait. – Morquenne,
ce m'a-t-il fait, je gage que non. – Ô ! ça, ç'ai-je fait,
veux-tu gager dix sols que si ? – Je le veux bian, ce
m'a-t-il fait ; et pour te montrer, vlà argent su jeu »,
ce m'a-t-il fait. Moi, je n'ai point esté ni fou, ni
estourdi ; j'ai bravement bouté à tarre quatre pièces
tapées et cinq sols en doubles, jergniguenne, aussi
hardiment que si j'avais avalé un varre de vin ; car
je ses hasardeux, moi, et je vas à la débandade[1].
Je savais bian ce que je faisais pourtant. Queuque
gniais ! Enfin donc, je n'avons pas putost eu gagé,
que j'avons vu les deux hommes tout à plain, qui
nous faisiant signe de les aller quérir ; et moi de tirer
auparavant les enjeux. « Allons, Lucas, ç'ai-je dit, tu
vois bian qu'ils nous appelont : allons vite à leu
secours. – Non, ce m'a-t-il dit, ils m'ont fait pardre. »

1. Il fonce comme un soldat qui rompt le rang (se débande).

Ô ! donc, tanquia qu'à la parfin, pour le faire court, je l'ai tant sarmonné, que je nous sommes boutés dans une barque, et pis j'avons tant fait cahin caha, que je les avons tirés de gliau, et pis je les avons menés cheux nous auprès du feu, et pis ils se sant dépouillés tout nus pour se sécher, et pis il y en est venu encore deux de la même bande, qui s'équiant sauvés tout seuls, et pis Mathurine est arrivée là, à qui l'en a fait les doux yeux. Vlà justement, Charlotte, comme tout ça s'est fait.

CHARLOTTE

Ne m'as-tu pas dit, Piarrot, qu'il y en a un qu'est bien pus mieux fait que les autres ?

PIERROT

Oui, c'est le maître. Il faut que ce soit queuque gros, gros Monsieur, car il a du dor à son habit tout depis le haut jusqu'en bas ; et ceux qui le servont sont des Monsieur eux-mesmes ; et stapandant, tout gros Monsieur qu'il est, il serait, par ma fique [1], nayé, si je n'aviomme esté là.

CHARLOTTE

Ardez un peu.

PIERROT

Ô ! parquenne, sans nous, il en avait pour sa maine de fèves [2].

---

1. Par ma foi.
2. Maine : mine (unité de mesure). Au XVIIe siècle, en avoir pour sa mine de fèves : avoir souffert quelque perte ou dommage.

CHARLOTTE

Est-il encore cheux toi tout nu, Piarrot ?

PIERROT

Nannain : ils l'avont rhabillé tout devant nous. Mon quieu, je n'en avais jamais vu s'habiller. Que d'histoires et d'angigorniaux [1] boutont ces Messieus-là les courtisans ! Je me pardrais là-dedans, pour moi, et j'étais tout ébobi de voir ça. Quien, Charlotte, ils avont des cheveux qui ne tenont point à leu teste ; et ils boutont ça après tout, comme un gros bonnet de filace. Ils ant des chemises qui ant des manches où j'entrerions tout brandis, toi et moi. En glieu d'haut-de-chausses, ils portont un garde-robe aussi large que d'ici à Pasque ; en glieu de pourpoint, de petites brassières, qui ne leu venont pas usqu'au brichet [2] ; et en glieu de rabats, un grand mouchoir de cou à réziau [3], aveuc quatre grosses houppes de linge qui leu pendont sur l'estomaque. Ils avont itou d'autres petits rabats au bout des bras, et de grands entonnois de passement aux jambes, et parmi tout ça tant de rubans, tant de rubans, que c'est une vraie piquié. Ignia pas jusqu'aux souliers qui n'en soiont farcis tout depis un bout jusqu'à l'autre ; et ils sont faits d'eune façon que je me romprais le cou aveuc.

CHARLOTTE

Par ma fi, Piarrot, il faut que j'aille voir un peu ça.

---

1. Ornements compliqués.
2. Estomac.
3. Dentelle.

PIERROT

Ô ! acoute un peu auparavant, Charlotte : j'ai queuque autre chose à te dire, moi.

CHARLOTTE

Et bian ! dis, qu'est-ce que c'est ?

PIERROT

Vois-tu, Charlotte, il faut, comme dit l'autre, que je débonde mon cœur. Je t'aime, tu le sais bian, et je sommes pour estre mariés ensemble ; mais marquenne, je ne suis point satisfait de toi.

CHARLOTTE

Quement ? qu'est-ce que c'est donc qu'iglia ?

PIERROT

Iglia que tu me chagraines l'esprit, franchement.

CHARLOTTE

Et quement donc ?

PIERROT

Testiguienne, tu ne m'aimes point.

CHARLOTTE

Ah ! Ah ! n'est que ça ?

PIERROT

Oui, ce n'est que ça, et c'est bian assez.

CHARLOTTE

Mon quieu, Piarrot, tu me viens toujou dire la même chose.

PIERROT

Je te dis toujou la même chose, parce que c'est toujou la même chose ; et si ce n'était pas toujou la même chose, je ne te dirais pas toujou la même chose.

CHARLOTTE

Mais qu'est-ce qu'il te faut ? Que veux-tu ?

PIERROT

Jerniquenne ! Je veux que tu m'aimes.

CHARLOTTE

Est-ce que je ne t'aime pas ?

PIERROT

Non, tu ne m'aimes pas ; et si je fais tout ce que je pis pour ça : je t'achète, sans reproche, des rubans à tous les marciers qui passont ; je me romps le cou à t'aller dénicher des marles ; je fais jouer pour toi les vielleux quand ce vient ta fête ; et tout ça, comme si je me frappais la tête contre un mur. Vois-tu, ça n'est ni biau ni honnête de n'aimer pas les gens qui nous aimont.

CHARLOTTE

Mais, mon guieu, je t'aime aussi.

PIERROT

Oui ; tu m'aimes d'une belle dégaine !

CHARLOTTE

Quement veux-tu donc qu'on fasse ?

PIERROT

Je veux que l'en fasse comme l'en fait quand l'en aime comme il faut.

CHARLOTTE

Ne t'aimé-je pas aussi comme il faut ?

PIERROT

Non : quand ça est, ça se voit, et l'en fait mille petites singeries aux personnes quand on les aime du bon du cœur. Regarde la grosse Thomasse, comme elle est assotée du jeune Robain : alle est toujou autour de li à l'agacer, et ne le laisse jamais en repos ; toujou al li fait queuque niche ou li baille quelque taloche en passant ; et l'autre jour qu'il était assis sur un escabiau, al fut le tirer de dessous li, et le fit choir tout de son long par tarre. Jarni ! vlà où l'en voit les gens qui aimont ; mais toi, tu ne me dis jamais mot, t'es toujou là comme eune vraie souche de bois ; et je passerais vingt fois devant toi, que tu ne te grouillerais pas pour me bailler le moindre coup, ou me

dire la moindre chose. Ventrequenne ! ça n'est pas
bian, après tout, et t'es trop froide pour les gens.

CHARLOTTE

Que veux-tu que j'y fasse ? C'est mon himeur, et
je ne me pis refondre.

PIERROT

Ignia himeur qui quienne. Quand en a de l'amiquié
pour les personnes, l'an en baille toujou queuque
petite signifiance.

CHARLOTTE

Enfin je t'aime tout autant que je pis, et si tu n'es
pas content de ça, tu n'as qu'à en aimer queuque autre.

PIERROT

Eh bien ! vlà pas mon compte. Testigué ! si tu
m'aimais, me dirais-tu ça ?

CHARLOTTE

Pourquoi me viens-tu aussi tarabuster l'esprit ?

PIERROT

Morqué ! queu mal te fais-je ! Je ne te demande
qu'un peu d'amiquié.

CHARLOTTE

Eh bian ! laisse faire aussi, et ne me presse point
tant. Peut-être que ça viendra tout d'un coup sans y
songer.

PIERROT

Touche donc là, Charlotte.

CHARLOTTE

Eh bien ! quien.

PIERROT

Promets-moi donc que tu tâcheras de m'aimer davantage.

CHARLOTTE

J'y ferai tout ce que je pourrai, mais il faut que ça vienne de lui-même. Pierrot, est-ce là ce Monsieur ?

PIERROT

Oui, le vlà.

CHARLOTTE

Ah ! mon quieu, qu'il est genti, et que ç'aurait été dommage qu'il eût été nayé !

PIERROT

Je revians tout à l'heure : je m'en vas boire chopaine, pour me rebouter tant soit peu de la fatigue que j'ais eue.

SCÈNE 2
Don Juan, Sganarelle, Charlotte.

DON JUAN

Nous avons manqué notre coup, Sganarelle, et cette bourrasque imprévue a renversé avec notre barque le projet que nous avions fait ; mais, à te dire vrai, la paysanne que je viens de quitter répare ce malheur, et je lui ai trouvé des charmes qui effacent de mon esprit tout le chagrin que me donnait le mauvais succès de notre entreprise. Il ne faut pas que ce cœur m'échappe, et j'y ai déjà jeté des dispositions à ne pas me souffrir longtemps de pousser des soupirs.

SGANARELLE

Monsieur ; j'avoue que vous m'étonnez. À peine sommes-nous échappés d'un péril de mort, qu'au lieu de rendre grâce au Ciel de la pitié qu'il a daigné prendre de nous, vous travaillez tout de nouveau à attirer sa colère par vos fantaisies accoutumées et vos amours cr... Paix ! coquin que vous êtes ; vous ne savez ce que vous dites, et Monsieur sait ce qu'il fait. Allons.

DON JUAN, *apercevant Charlotte.*

Ah ! ah ! d'où sort cette autre paysanne, Sganarelle ? As-tu rien vu de plus joli ? et ne trouves-tu pas, dis-moi, que celle-ci vaut bien l'autre ?

SGANARELLE

Assurément. Autre pièce nouvelle.

DON JUAN

D'où me vient, la belle, une rencontre si agréable ? Quoi ? dans ces lieux champêtres, parmi ces arbres et ces rochers, on trouve des personnes faites comme vous êtes ?

CHARLOTTE

Vous voyez, Monsieur.

DON JUAN

Êtes-vous de ce village ?

CHARLOTTE

Oui, Monsieur.

DON JUAN

Et vous y demeurez ?

CHARLOTTE

Oui, Monsieur.

DON JUAN

Vous vous appelez ?

CHARLOTTE

Charlotte, pour vous servir.

DON JUAN

Ah ! la belle personne, et que ses yeux sont pénétrants !

CHARLOTTE

Monsieur, vous me rendez toute honteuse.

DON JUAN

Ah ! n'ayez point de honte d'entendre dire vos vérités. Sganarelle, qu'en dis-tu ? Peut-on voir rien de plus agréable ? Tournez-vous un peu, s'il vous plaît. Ah ! que cette taille est jolie ! Haussez un peu la tête, de grâce. Ah ! que ce visage est mignon ! Ouvrez vos yeux entièrement. Ah ! qu'ils sont beaux ! Que je voie un peu vos dents, je vous prie. Ah ! qu'elles sont amoureuses, et ces lèvres appétissantes ! Pour moi, je suis ravi, et je n'ai jamais vu une si charmante personne.

CHARLOTTE

Monsieur, cela vous plaît à dire, et je ne sais pas si c'est pour vous railler de moi.

DON JUAN

Moi, me railler de vous ? Dieu m'en garde ! Je vous aime trop pour cela, et c'est du fond du cœur que je vous parle.

CHARLOTTE

Je vous suis bien obligée, si ça est.

DON JUAN

Point du tout ; vous ne m'êtes point obligée de tout ce que je dis, et ce n'est qu'à votre beauté que vous en êtes redevable.

CHARLOTTE

Monsieur, tout ça est trop bien dit pour moi, et je n'ai pas d'esprit pour vous répondre.

DON JUAN

Sganarelle, regarde un peu ses mains.

CHARLOTTE

Fi ! Monsieur, elles sont noires comme je ne sais quoi.

DON JUAN

Ha ! que dites-vous là ? Elles sont les plus belles du monde ; souffrez que je les baise, je vous prie.

CHARLOTTE

Monsieur, c'est trop d'honneur que vous me faites, et si j'avais su ça tantôt, je n'aurais pas manqué de les laver avec du son.

DON JUAN

Et dites-moi un peu, belle Charlotte, vous n'êtes pas mariée sans doute ?

CHARLOTTE

Non, Monsieur, mais je dois bientôt l'être avec
Piarrot, le fils de la voisine Simonette.

DON JUAN

Quoi ? une personne comme vous serait la femme
d'un simple paysan ! Non, non : c'est profaner tant
de beautés, et vous n'êtes pas née pour demeurer
dans un village. Vous méritez sans doute une meil-
leure fortune, et le Ciel, qui le connaît bien, m'a
conduit ici tout exprès pour empêcher ce mariage, et
rendre justice à vos charmes ; car enfin, belle Charlotte, je vous aime de tout mon cœur, et il ne tiendra
qu'à vous que je vous arrache de ce misérable lieu,
et ne vous mette dans l'état où vous méritez d'être.
Cet amour est bien prompt sans doute ; mais quoi ?
c'est un effet, Charlotte, de votre grande beauté, et
l'on vous aime autant en un quart d'heure qu'on
ferait une autre en six mois.

CHARLOTTE

Aussi vrai, Monsieur, je ne sais comment faire
quand vous parlez. Ce que vous dites me fait aise, et
j'aurais toutes les envies du monde de vous croire ;
mais on m'a toujou dit qu'il ne faut jamais croire les
Monsieux, et que vous autres courtisans êtes des
enjoleus, qui ne songez qu'à abuser des filles.

DON JUAN

Je ne suis pas de ces gens-là.

SGANARELLE

Il n'a garde.

CHARLOTTE

Voyez-vous, Monsieur, il n'y a pas plaisir à se laisser abuser. Je suis une pauvre paysanne, mais j'ai l'honneur en recommandation, et j'aimerais mieux me voir morte, que de me voir déshonorée.

DON JUAN

Moi, j'aurais l'âme assez méchante pour abuser une personne comme vous ? Je serais assez lâche pour vous déshonorer ? Non, non : j'ai trop de conscience pour cela. Je vous aime, Charlotte, en tout bien et en tout honneur ; et pour vous montrer que je vous dis vrai, sachez que je n'ai point d'autre dessein que de vous épouser : en voulez-vous un plus grand témoignage ? M'y voilà prêt quand vous voudrez ; et je prends à témoin l'homme que voilà de la parole que je vous donne.

SGANARELLE

Non, non, ne craignez point : il se mariera avec vous tant que vous voudrez.

DON JUAN

Ah ! Charlotte, je vois bien que vous ne me connaissez pas encore. Vous me faites grand tort de juger de moi par les autres ; et s'il y a des fourbes dans le monde, des gens qui ne cherchent qu'à abuser des filles, vous devez me tirer du nombre, et ne pas mettre en doute la sincérité de ma foi. Et puis votre beauté vous assure de tout. Quand on est faite comme vous, on doit être à couvert de toutes ces sortes de crainte ; vous n'avez point l'air, croyez-moi, d'une personne qu'on abuse ; et pour moi, je l'avoue, je me percerais le cœur de mille coups, si j'avais eu la moindre pensée de vous trahir.

CHARLOTTE

Mon Dieu ! je ne sais si vous dites vrai, ou non ; mais vous faites que l'on vous croit.

DON JUAN

Lorsque vous me croirez, vous me rendrez justice assurément, et je vous réitère encore la promesse que je vous ai faite. Ne l'acceptez-vous pas, et ne voulez-vous pas consentir à être ma femme ?

CHARLOTTE

Oui, pourvu que ma tante le veuille.

DON JUAN

Touchez donc là, Charlotte, puisque vous le voulez bien de votre part.

CHARLOTTE

Mais au moins, Monsieur, ne m'allez pas tromper, je vous prie : il y aurait de la conscience à vous[1], et vous voyez comme j'y vais à la bonne foi.

1. Vous auriez un cas de conscience.

DON JUAN

Comment ? Il semble que vous doutiez encore de ma sincérité ! Voulez-vous que je fasse des serments épouvantables ? Que le Ciel...

CHARLOTTE

Mon Dieu, ne jurez point, je vous crois.

DON JUAN

Donnez-moi donc un petit baiser pour gage de votre parole.

CHARLOTTE

Oh ! Monsieur, attendez que je soyons mariés, je vous prie ; après ça, je vous baiserai tant que vous voudrez.

DON JUAN

Eh bien ! belle Charlotte, je veux tout ce que vous voulez ; abandonnez-moi seulement votre main, et souffrez que, par mille baisers, je lui exprime le ravissement où je suis...

SCÈNE 3
Don Juan, Sganarelle, Pierrot, Charlotte.

PIERROT, *se mettant entre deux*
et poussant Don Juan.

Tout doucement, Monsieur, tenez-vous, s'il vous plaît. Vous vous échauffez trop, et vous pourriez gagner la puresie.

DON JUAN, *repoussant rudement Pierrot.*

Qui m'amène cet impertinent ?

PIERROT

Je vous dis qu'ou vous tegniez, et qu'ou ne caressiais point nos accordées.

DON JUAN *continue à le repousser.*

Ah ! que de bruit !

PIERROT

Jerniquenne ! ce n'est pas comme ça qu'il faut pousser les gens.

CHARLOTTE, *prenant Pierrot par le bras.*

Et laisse-le faire aussi, Piarrot.

PIERROT

Quement ? que je le laisse faire ? Je ne veux pas, moi.

DON JUAN

Ah !

PIERROT

Testiguenne ! parce qu'ous êtes Monsieu, ous viendrez caresser nos femmes à notre barbe ? Allez-v's-en caresser les vôtres.

DON JUAN

Heu ?

PIERROT

Heu. *(Don Juan lui donne un soufflet.)* Testigué ! ne me frappez pas. *(Autre soufflet.)* Oh ! jernigué ! *(Autre soufflet.)* Ventrequé ! *(Autre soufflet.)* Palsanqué ! Morquenne ! ça n'est pas bian de battre les gens, et ce n'est pas là la récompense de v's avoir sauvé d'être nayé.

CHARLOTTE

Piarrot, ne te fâche point.

PIERROT

Je me veux fâcher ; et t'es une vilaine toi, d'endurer qu'on te cajole.

CHARLOTTE

Oh ! Piarrot, ce n'est pas ce que tu penses. Ce Monsieur veut m'épouser, et tu ne dois pas te bouter en colère.

PIERROT

Quement ? Jerni ! tu m'es promise.

CHARLOTTE

Ça n'y fait rien, Piarrot. Si tu m'aimes, ne dois-tu pas être bien aise que je devienne Madame ?

PIERROT

Jerniqué ! non. J'aime mieux te voir crevée que de te voir à un autre.

CHARLOTTE

Va, va, Piarrot, ne te mets point en peine : si je sis Madame, je te ferai gagner queuque chose, et tu apporteras du beurre et du fromage cheux nous.

PIERROT

Ventrequenne ! je gni en porterai jamais, quand tu m'en payerais deux fois autant. Est-ce donc comme ça que t'écoutes ce qu'il te dit ? Morquenne ! si j'avais su ça tantôt, je me serais bian gardé de le tirer de gliau, et je gli aurais baillé un bon coup d'aviron sur la tête.

DON JUAN, *s'approchant de Pierrot pour le frapper.*

Qu'est-ce que vous dites ?

PIERROT, *s'éloignant derrière Charlotte.*

Jerniquenne ! je ne crains personne.

DON JUAN *passe du côté où est Pierrot.*

Attendez-moi un peu.

PIERROT *repasse de l'autre côté de Charlotte.*

Je me moque de tout, moi.

DON JUAN *court après Pierrot.*

Voyons cela.

PIERROT *se sauve encore derrière Charlotte.*

J'en avons bien vu d'autres.

DON JUAN

Houais !

SGANARELLE

Eh ! Monsieur, laissez là ce pauvre misérable. C'est conscience de le battre. Écoute, mon pauvre garçon, retire-toi, et ne lui dis rien.

PIERROT *passe devant Sganarelle, et dit fièrement à Don Juan.*

Je veux lui dire, moi.

DON JUAN *lève la main pour donner un soufflet à Pierrot, qui baisse la tête et Sganarelle reçoit le soufflet.*

Ah ! je vous apprendrai.

SGANARELLE, *regardant Pierrot qui s'est baissé
pour éviter le soufflet.*

Peste soit du maroufle !

DON JUAN

Te voilà payé de ta charité.

PIERROT

Jarni ! je vais dire à sa tante tout ce ménage-ci.

DON JUAN

Enfin je m'en vais être le plus heureux de tous les hommes, et je ne changerais pas mon bonheur à toutes les choses du monde. Que de plaisirs quand vous serez ma femme ! et que...

SCÈNE 4
Don Juan, Sganarelle, Charlotte, Mathurine.

SGANARELLE, *apercevant Mathurine.*

Ah ! ah !

MATHURINE, *à Don Juan.*

Monsieur, que faites-vous donc là avec Charlotte ? Est-ce que vous parlez d'amour aussi ?

DON JUAN, *à Mathurine.*

Non, au contraire, c'est elle qui me témoignait une

envie d'être ma femme, et je lui répondais que j'étais engagé à vous.

CHARLOTTE

Qu'est-ce que c'est donc que vous veut Mathurine ?

DON JUAN, *bas, à Charlotte.*

Elle est jalouse de me voir vous parler, et voudrait bien que je l'épousasse ; mais je lui dis que c'est vous que je veux.

MATHURINE

Quoi ? Charlotte...

DON JUAN, *bas, à Mathurine.*

Tout ce que vous lui direz sera inutile ; elle s'est mis cela dans la tête.

CHARLOTTE

Quement donc ! Mathurine...

DON JUAN, *bas, à Charlotte.*

C'est en vain que vous lui parlerez ; vous ne lui ôterez point cette fantaisie.

MATHURINE

Est-ce que...

DON JUAN, *bas, à Mathurine.*

Il n'y a pas moyen de lui faire entendre raison.

CHARLOTTE

Je voudrais...

DON JUAN, *bas, à Charlotte.*

Elle est obstinée comme tous les diables.

MATHURINE

Vraiment...

DON JUAN, *bas, à Mathurine.*

Ne lui dites rien, c'est une folle.

CHARLOTTE

Je pense...

DON JUAN, *bas, à Charlotte.*

Laissez-la là, c'est une extravagante.

MATHURINE

Non, non : il faut que je lui parle.

CHARLOTTE

Je veux voir un peu ses raisons.

MATHURINE

Quoi ?...

DON JUAN, *bas, à Mathurine.*

Je gage qu'elle va vous dire que je lui ai promis de l'épouser.

CHARLOTTE

Je...

DON JUAN, *bas, à Charlotte.*

Gageons qu'elle vous soutiendra que je lui ai donné parole de la prendre pour femme.

MATHURINE

Holà ! Charlotte, ça n'est pas bien de courir sur le marché des autres.

CHARLOTTE

Ça n'est pas honnête, Mathurine, d'être jalouse que Monsieur me parle.

MATHURINE

C'est moi que Monsieur a vue la première.

CHARLOTTE

S'il vous a vue la première, il m'a vue la seconde, et m'a promis de m'épouser.

DON JUAN, *bas, à Mathurine.*

Eh bien ! que vous ai-je dit ?

MATHURINE

Je vous baise les mains, c'est moi, et non pas vous,
qu'il a promis d'épouser.

DON JUAN, *bas, à Charlotte.*

N'ai-je pas deviné ?

CHARLOTTE

À d'autres, je vous prie ; c'est moi, vous dis-je.

MATHURINE

Vous vous moquez des gens ; c'est moi, encore
un coup.

CHARLOTTE

Le vlà qui est pour le dire, si je n'ai pas raison.

MATHURINE

Le vlà qui est pour me démentir, si je ne dis pas
vrai.

CHARLOTTE

Est-ce, Monsieur, que vous lui avez promis de
l'épouser ?

DON JUAN, *bas, à Charlotte.*

Vous vous raillez de moi.

MATHURINE

Est-il vrai, Monsieur, que vous lui avez donné
parole d'être son mari !

DON JUAN, *bas, à Mathurine.*

Pouvez-vous avoir cette pensée ?

CHARLOTTE

Vous voyez qu'al le soutient.

DON JUAN, *bas, à Charlotte.*

Laissez-la faire.

MATHURINE

Vous êtes témoin comme al l'assure.

DON JUAN, *bas, à Mathurine.*

Laissez-la dire.

CHARLOTTE

Non, non : il faut savoir la vérité.

MATHURINE

Il est question de juger ça.

CHARLOTTE

Oui, Mathurine, je veux que Monsieur vous montre votre bec jaune[1].

---

1. Ou béjaune : oisillon et, par extension, jeune sot.

MATHURINE

Oui, Charlotte, je veux que Monsieur vous rende un peu camuse [1].

CHARLOTTE

Monsieur, videz la querelle, s'il vous plaît.

MATHURINE

Mettez-nous d'accord, Monsieur.

CHARLOTTE, *à Mathurine.*

Vous allez voir.

MATHURINE, *à Charlotte.*

Vous allez voir vous-même.

CHARLOTTE, *à Don Juan.*

Dites.

MATHURINE, *à Don Juan.*

Parlez.

DON JUAN, *embarrassé, leur dit à toutes deux.*

Que voulez-vous que je dise ? Vous soutenez également toutes deux que je vous ai promis de vous prendre pour femmes. Est-ce que chacune de vous ne sait pas ce qui en est, sans qu'il soit nécessaire que je m'explique davantage ? Pourquoi m'obliger

1. Piteuse, penaude.

là-dessus à des redites ? Celle à qui j'ai promis effectivement n'a-t-elle pas en elle-même de quoi se moquer des discours de l'autre, et doit-elle se mettre en peine, pourvu que j'accomplisse ma promesse ? Tous les discours n'avancent point les choses ; il faut faire et non pas dire, et les effets décident mieux que les paroles. Aussi n'est-ce rien que par là que je vous veux mettre d'accord, et l'on verra, quand je me marierai, laquelle des deux a mon cœur. *(Bas, à Mathurine :)* Laissez-lui croire ce qu'elle voudra. *(Bas, à Charlotte :)* Laissez-la se flatter dans son imagination. *(Bas, à Mathurine :)* Je vous adore. *(Bas, à Charlotte.)* Je suis tout à vous. *(Bas, à Mathurine :)* Tous les visages sont laids auprès du vôtre. *(Bas, à Charlotte :)* On ne peut plus souffrir les autres quand on vous a vue. J'ai un petit ordre à donner ; je viens vous retrouver dans un quart d'heure.

CHARLOTTE, *à Mathurine.*

Je suis celle qu'il aime, au moins.

MATHURINE

C'est moi qu'il épousera.

SGANARELLE

Ah ! pauvres filles que vous êtes, j'ai pitié de votre innocence, et je ne puis souffrir de vous voir courir à votre malheur. Croyez-moi l'une et l'autre : ne vous amusez point à tous les contes qu'on vous fait, et demeurez dans votre village.

DON JUAN, *revenant.*

Je voudrais bien savoir pourquoi Sganarelle ne me suit pas.

SGANARELLE, *à ces filles.*

Mon maître est un fourbe : il n'a dessein que de vous abuser, et en a bien abusé d'autres ; c'est l'épouseur du genre humain, et... *(Il aperçoit Don Juan.)* Cela est faux ; et quiconque vous dira cela, vous lui devez dire qu'il en a menti. Mon maître n'est point l'épouseur du genre humain, il n'est point fourbe, il n'a pas dessein de vous tromper, et n'en a point abusé d'autres. Ah ! tenez, le voilà ; demandez-le plutôt à lui-même.

DON JUAN

Oui.

SGANARELLE

Monsieur, comme le monde est plein de médisants, je vais au-devant des choses ; et je leur disais que si quelqu'un leur venait dire du mal de vous, elles se gardassent bien de le croire, et ne manquassent pas de lui dire qu'il en aurait menti.

DON JUAN

Sganarelle.

SGANARELLE

Oui, Monsieur est homme d'honneur, je le garantis tel.

DON JUAN

Hon !

SGANARELLE

Ce sont des impertinents.

SCÈNE 5
Don Juan, La Ramée, Charlotte, Mathurine,
Sganarelle.

LA RAMÉE

Monsieur, je viens vous avertir qu'il ne fait pas
bon ici pour vous.

DON JUAN

Comment ?

LA RAMÉE

Douze hommes à cheval vous cherchent, qui doivent arriver ici dans un moment ; je ne sais pas par
quel moyen ils peuvent vous avoir suivi ; mais j'ai
appris cette nouvelle d'un paysan qu'ils ont inter-
rogé, et auquel ils vous ont dépeint. L'affaire presse,
et le plus tôt que vous pourrez sortir d'ici sera le
meilleur.

DON JUAN, *à Charlotte et Mathurine.*

Une affaire pressante m'oblige de partir d'ici ;
mais je vous prie de vous ressouvenir de la parole

que je vous ai donnée, et de croire que vous aurez de mes nouvelles avant qu'il soit demain au soir. Comme la partie n'est pas égale, il faut user de stratagème, et éluder adroitement le malheur qui me cherche. Je veux que Sganarelle se revête de mes habits, et moi...

SGANARELLE

Monsieur, vous vous moquez. M'exposer à être tué sous vos habits, et...

DON JUAN

Allons vite, c'est trop d'honneur que je vous fais, et bien heureux est le valet qui peut avoir la gloire de mourir pour son maître.

SGANARELLE

Je vous remercie d'un tel honneur. Ô Ciel, puisqu'il s'agit de mort, fais-moi la grâce de n'être point pris pour un autre !

ACTE III

Le théâtre représente une forêt, proche de la mer,
et dans le voisinage de la ville.

SCÈNE 1
Don Juan, en habit de campagne,
Sganarelle, en médecin.

SGANARELLE

Ma foi, Monsieur, avouez que j'ai eu raison, et
que nous voilà l'un et l'autre déguisés à merveille.
Votre premier dessein n'était point du tout à propos,
et ceci nous cache bien mieux que tout ce que vous
vouliez faire.

DON JUAN

Il est vrai que te voilà bien, et je ne sais où tu as
été déterrer cet attirail ridicule.

SGANARELLE

Oui ? C'est l'habit d'un vieux médecin, qui a été
laissé en gage au lieu où je l'ai pris, et il m'en a coûté
de l'argent pour l'avoir. Mais savez-vous, Monsieur,
que cet habit me met déjà en considération, que je
suis salué des gens que je rencontre, et que l'on me
vient consulter ainsi qu'un habile homme ?

DON JUAN

Comment donc ?

SGANARELLE

Cinq ou six paysans et paysannes, en me voyant passer, me sont venus demander mon avis sur différentes maladies.

DON JUAN

Tu leur as répondu que tu n'y entendais rien ?

SGANARELLE

Moi ? Point du tout. J'ai voulu soutenir l'honneur de mon habit : j'ai raisonné sur le mal, et leur ai fait des ordonnances à chacun.

DON JUAN

Et quels remèdes encore leur as-tu ordonnés ?

SGANARELLE

Ma foi ! Monsieur, j'en ai pris par où j'en ai pu attraper ; j'ai fait mes ordonnances à l'aventure, et ce serait une chose plaisante si les malades guérissaient, et qu'on m'en vînt remercier.

DON JUAN

Et pourquoi non ? Par quelle raison n'aurais-tu pas les mêmes privilèges qu'ont tous les autres médecins ? Ils n'ont pas plus de part que toi aux guérisons des malades, et tout leur art est pure grimace. Ils ne font rien que recevoir la gloire des heureux succès, et tu peux profiter comme eux du bonheur du malade, et voir attribuer à tes remèdes tout ce qui peut venir des faveurs du hasard et des forces de la nature.

SGANARELLE

Comment, Monsieur, vous êtes aussi impie en médecine ?

DON JUAN

C'est une des grandes erreurs qui soit parmi les hommes.

SGANARELLE

Quoi ? vous ne croyez pas au séné, ni à la casse, ni au vin émétique [1] ?

DON JUAN

Et pourquoi veux-tu que j'y croie ?

SGANARELLE

Vous avez l'âme bien mécréante. Cependant vous voyez, depuis un temps, que le vin émétique fait bruire ses fuseaux. Ses miracles ont converti les plus incrédules esprits, et il n'y a pas trois semaines que j'en ai vu, moi qui vous parle, un effet merveilleux.

DON JUAN

Et quel ?

1. Séné, casse, vin émétique : divers purgatifs.

SGANARELLE

Il y avait un homme qui, depuis six jours, était à l'agonie ; on ne savait plus que lui ordonner, et tous les remèdes ne faisaient rien ; on s'avisa à la fin de lui donner de l'émétique.

DON JUAN

Il réchappa, n'est-ce pas ?

SGANARELLE

Non, il mourut.

DON JUAN

L'effet est admirable.

SGANARELLE

Comment ? il y avait six jours entiers qu'il ne pouvait mourir, et cela le fit mourir tout d'un coup. Voulez-vous rien de plus efficace ?

DON JUAN

Tu as raison.

SGANARELLE

Mais laissons là la médecine, où vous ne croyez point, et parlons des autres choses, car cet habit me donne de l'esprit, et je me sens en humeur de disputer contre vous : vous savez bien que vous me permettez les disputes, et que vous ne me défendez que les remontrances.

DON JUAN

Eh bien ?

SGANARELLE

Je veux savoir un peu vos pensées à fond. Est-il
possible que vous ne croyiez point du tout au Ciel ?

DON JUAN

Laissons cela.

SGANARELLE

C'est-à-dire que non. Et à l'Enfer ?

DON JUAN

Eh !

SGANARELLE

Tout de même. Et au diable, s'il vous plaît ?

DON JUAN

Oui, oui.

SGANARELLE

Aussi peu. Ne croyez-vous point l'autre vie ?

DON JUAN

Ah ! ah ! ah !

SGANARELLE

Voilà un homme que j'aurai bien de la peine à convertir. Et dites-moi un peu, [le Moine bourru [1], qu'en croyez-vous, eh [2] !

DON JUAN

La peste soit du fat !

SGANARELLE

Et voilà ce que je ne puis souffrir, car il n'y a rien de plus vrai que le Moine bourru, et je me ferais pendre pour celui-là. Mais] encore faut-il croire quelque chose [dans le monde] : qu'est-ce [donc] que vous croyez ?

DON JUAN

Ce que je crois ?

SGANARELLE

Oui.

DON JUAN

Je crois que deux et deux sont quatre, Sganarelle, et que quatre et quatre sont huit.

SGANARELLE

La belle croyance [et les beaux articles de foi] que voilà ! Votre religion, à ce que je vois, est donc

1. Lutin.
2. Les crochets indiquent les coupes pratiquées par Molière dès la deuxième représentation.

l'arithmétique ? Il faut avouer qu'il se met d'étranges
folies dans la tête des hommes, et que pour avoir
bien étudié on est bien moins sage le plus souvent.
Pour moi, Monsieur, je n'ai point étudié comme
vous, Dieu merci, et personne ne saurait se vanter de
m'avoir jamais rien appris ; mais avec mon petit
sens, mon petit jugement, je vois les choses mieux
que tous les livres, et je comprends fort bien que ce
monde que nous voyons n'est pas un champignon,
qui soit venu tout seul en une nuit. Je voudrais bien
vous demander qui a fait ces arbres-là, ces rochers,
cette terre, et ce ciel que voilà là-haut, et si tout cela
s'est bâti de lui-même. Vous voilà vous, par exemple,
vous êtes là : est-ce que vous vous êtes fait tout
seul ? Pouvez-vous voir toutes les inventions dont la
machine de l'homme est composée sans admirer de
quelle façon cela est agencé l'un dans l'autre : ces
nerfs, ces os, ces veines, ces artères, ces... ce pou-
mon, ce cœur, ce foie, et tous les autres ingrédients
qui sont là, et qui... Oh ! dame, interrompez-moi
donc si vous voulez : je ne saurais disputer si l'on
ne m'interrompt ; vous vous taisez exprès et me
laissez parler par belle malice.

DON JUAN

J'attends que ton raisonnement soit fini.

SGANARELLE

Mon raisonnement est qu'il y a quelque chose
d'admirable dans l'homme, quoi que vous puissiez
dire, que tous les savants ne sauraient expliquer. Cela
n'est-il pas merveilleux que me voilà ici, et que j'aie
quelque chose dans la tête qui pense cent choses

différentes en un moment, et fait de mon corps tout ce qu'elle veut ? Je veux frapper des mains, hausser le bras, lever les yeux au ciel, baisser la tête, remuer les pieds, aller à droite, à gauche, en avant, en arrière, tourner...

Il se laisse tomber en tournant.

DON JUAN

Bon ! voilà ton raisonnement qui a le nez cassé.

SGANARELLE

Morbleu ! je suis bien sot de m'amuser à raisonner avec vous. Croyez ce que vous voudrez : il m'importe bien que vous soyez damné !

DON JUAN

Mais tout en raisonnant, je crois que nous sommes égarés. Appelle un peu cet homme que voilà là-bas, pour lui demander le chemin.

SGANARELLE

Holà, ho, l'homme ! ho, mon compère ! ho, l'ami ! un petit mot s'il vous plaît.

SCÈNE 2
Don Juan, Sganarelle, un pauvre.

SGANARELLE

Enseignez-nous un peu le chemin qui mène à la ville.

LE PAUVRE

Vous n'avez qu'à suivre cette route, Messieurs, et détourner à main droite quand vous serez au bout de la forêt. Mais je vous donne avis que vous devez vous tenir sur vos gardes, et que depuis quelque temps il y a des voleurs ici autour.

DON JUAN

Je te suis bien obligé, mon ami, et je te rends grâce de tout mon cœur.

LE PAUVRE

Si vous vouliez, Monsieur, me secourir de quelque aumône ?

DON JUAN

Ah ! ah ! ton avis est intéressé, à ce que je vois.

LE PAUVRE

Je suis un pauvre homme, Monsieur, retiré tout seul dans ce bois depuis dix ans, et je ne manquerai pas de prier le Ciel qu'il vous donne toute sorte de biens.

DON JUAN

Eh ! prie-le qu'il te donne un habit, sans te mettre en peine des affaires des autres.

SGANARELLE

Vous ne connaissez pas Monsieur, bonhomme ; il ne croit qu'en deux et deux sont quatre et en quatre et quatre sont huit.

DON JUAN

Quelle est ton occupation parmi ces arbres ?

LE PAUVRE

De prier le Ciel tout le jour pour la prospérité des gens de bien qui me donnent quelque chose.

DON JUAN

Il ne se peut donc pas que tu ne sois bien à ton aise ?

LE PAUVRE

Hélas ! Monsieur, je suis dans la plus grande nécessité du monde.

DON JUAN

Tu te moques : un homme qui prie le Ciel tout le jour ne peut pas manquer d'être bien dans ses affaires.

LE PAUVRE

Je vous assure, Monsieur, que le plus souvent je n'ai pas un morceau de pain à me mettre sous les dents.

DON JUAN

[Voilà qui est étrange, et tu es bien mal reconnu de tes soins. Ah ! ah !] je m'en vais te donner un louis d'or [tout à l'heure, pourvu que tu veuilles jurer.

LE PAUVRE

Ah ! Monsieur, voudriez-vous que je commisse un tel péché ?

DON JUAN

Tu n'as qu'à voir si tu veux gagner un louis d'or ou non. En voici un que je te donne, si tu jures ; tiens, il faut jurer.

LE PAUVRE

Monsieur !

DON JUAN

À moins de cela, tu ne l'auras pas.

SGANARELLE

Va, va, jure un peu, il n'y a pas de mal.

DON JUAN

Prends, le voilà ; prends, te dis-je, mais jure donc.

LE PAUVRE

Non, Monsieur, j'aime mieux mourir de faim.

DON JUAN

Va, va,] je te le donne pour l'amour de l'humanité. Mais que vois-je là ? un homme attaqué par trois autres ? La partie est trop inégale, et je ne dois pas souffrir cette lâcheté.

Il court au lieu du combat.

SCÈNE 3
Don Juan, Don Carlos, Sganarelle.

SGANARELLE

Mon maître est un vrai enragé d'aller se présenter à un péril qui ne le cherche pas ; mais, ma foi ! le secours a servi, et les deux ont fait fuir les trois.

DON CARLOS, *l'épée à la main.*

On voit, par la fuite de ces voleurs, de quel secours est votre bras. Souffrez, Monsieur, que je vous rende grâce d'une action si généreuse, et que...

DON JUAN, *revenant l'épée à la main.*

Je n'ai rien fait, Monsieur, que vous n'eussiez fait en ma place. Notre propre honneur est intéressé dans de pareilles aventures, et l'action de ces coquins était si lâche que c'eût été y prendre part que de ne s'y pas opposer. Mais par quelle rencontre vous êtes-vous trouvé entre leurs mains ?

DON CARLOS

Je m'étais par hasard égaré d'un frère et de tous ceux de notre suite ; et comme je cherchais à les rejoindre, j'ai fait rencontre de ces voleurs, qui d'abord ont tué mon cheval, et qui, sans votre valeur, en auraient fait autant de moi.

DON JUAN

Votre dessein est-il d'aller du côté de la ville ?

DON CARLOS

Oui, mais sans y vouloir entrer ; et nous nous voyons obligés, mon frère et moi, à tenir la campagne pour une de ces fâcheuses affaires qui réduisent les gentilshommes à se sacrifier, eux et leur famille, à la sévérité de leur honneur, puisque enfin le plus doux succès en est toujours funeste, et que, si l'on ne quitte pas la vie, on est contraint de quitter le Royaume ; et c'est en quoi je trouve la condition d'un gentilhomme malheureuse, de ne pouvoir point s'assurer sur toute la prudence et toute l'honnêteté de sa conduite, d'être asservi par les lois de l'honneur au dérèglement de la conduite d'autrui, et de voir sa vie, son repos et ses biens dépendre de la fantaisie du premier téméraire qui s'avisera de lui faire une de ces injures pour qui un honnête homme doit périr.

DON JUAN

On a cet avantage, qu'on fait courir le même risque et passer mal aussi le temps à ceux qui prennent fantaisie de nous venir faire une offense de gaieté de cœur. Mais ne serait-ce point une indiscrétion que de vous demander quelle peut être votre affaire ?

DON CARLOS

La chose en est aux termes de n'en plus faire de secret, et lorsque l'injure a une fois éclaté, notre honneur ne va point à vouloir cacher notre honte, mais à faire éclater notre vengeance, et à publier même le dessein que nous en avons. Ainsi, Monsieur, je ne feindrai point de vous dire que l'offense que nous cherchons à venger est une sœur séduite et enlevée d'un couvent, et que l'auteur de cette offense est un Don Juan Tenorio, fils de Don Louis Tenorio. Nous le cherchons depuis quelques jours, et nous l'avons suivi ce matin sur le rapport d'un valet qui nous a dit qu'il sortait à cheval, accompagné de quatre ou cinq, et qu'il avait pris le long de cette côte ; mais tous nos soins ont été inutiles, et nous n'avons pu découvrir ce qu'il est devenu.

DON JUAN

Le connaissez-vous, Monsieur, ce Don Juan dont vous parlez ?

DON CARLOS

Non, quant à moi. Je ne l'ai jamais vu, et je l'ai seulement ouï dépeindre à mon frère ; mais la renom-

mée n'en dit pas force bien, et c'est un homme dont
la vie...

DON JUAN

Arrêtez, Monsieur, s'il vous plaît. Il est un peu de
mes amis, et ce serait à moi une espèce de lâcheté,
que d'en ouïr dire du mal.

DON CARLOS

Pour l'amour de vous, Monsieur, je n'en dirai rien
du tout, et c'est bien la moindre chose que je vous
doive, après m'avoir sauvé la vie, que de me taire
devant vous d'une personne que vous connaissez,
lorsque je ne puis en parler sans en dire du mal ;
mais, quelque ami que vous lui soyez, j'ose espérer
que vous n'approuverez pas son action, et ne trou-
verez pas étrange que nous cherchions d'en prendre
la vengeance.

DON JUAN

Au contraire, je vous y veux servir, et vous épar-
gner des soins inutiles. Je suis ami de Don Juan, je
ne puis pas m'en empêcher ; mais il n'est pas rai-
sonnable qu'il offense impunément des gentilshommes, et je m'engage à vous faire faire raison par lui.

DON CARLOS

Et quelle raison peut-on faire à ces sortes d'injures ?

DON JUAN

Toute celle que votre honneur peut souhaiter ; et,
sans vous donner la peine de chercher Don Juan

davantage, je m'oblige à le faire trouver au lieu que vous voudrez, et quand il vous plaira.

DON CARLOS

Cet espoir est bien doux, Monsieur, à des cœurs offensés ; mais, après ce que je vous dois, ce me serait une trop sensible douleur que vous fussiez de la partie.

DON JUAN

Je suis si attaché à Don Juan qu'il ne saurait se battre que je ne me batte aussi ; mais enfin j'en réponds comme de moi-même, et vous n'avez qu'à dire quand vous voulez qu'il paraisse et vous donne satisfaction.

DON CARLOS

Que ma destinée est cruelle ! Faut-il que je vous doive la vie, et que Don Juan soit de vos amis ?

SCÈNE 4
Don Alonse et trois suivants,
Don Carlos, Don Juan, Sganarelle.

DON ALONSE

Faites boire là mes chevaux, et qu'on les amène après nous ; je veux un peu marcher à pied. Ô Ciel ! que vois-je ici ! Quoi ? mon frère, vous voilà avec notre ennemi mortel ?

DON CARLOS

Notre ennemi mortel ?

DON JUAN, *se reculant de trois pas et mettant
fièrement la main sur la garde de son épée.*

Oui, je suis Don Juan moi-même, et l'avantage du
nombre ne m'obligera pas à vouloir déguiser mon
nom.

DON ALONSE

Ah ! traître, il faut que tu périsses, et...

DON CARLOS

Ah ! mon frère, arrêtez. Je lui suis redevable de
la vie ; et sans le secours de son bras, j'aurais été tué
par des voleurs que j'ai trouvés.

DON ALONSE

Et voulez-vous que cette considération empêche
notre vengeance ? Tous les services que nous rend
une main ennemie ne sont d'aucun mérite pour enga-
ger notre âme ; et s'il faut mesurer l'obligation à
l'injure, votre reconnaissance, mon frère, est ici ridicule ; et comme l'honneur est infiniment plus pré-
cieux que la vie, c'est ne devoir rien proprement que
d'être redevable de la vie à qui nous a ôté l'honneur.

DON CARLOS

Je sais la différence, mon frère, qu'un gentilhomme doit toujours mettre entre l'un et l'autre, et
la reconnaissance de l'obligation n'efface point en

moi le ressentiment de l'injure ; mais souffrez que je lui rende ici ce qu'il m'a prêté, que je m'acquitte sur-le-champ de la vie que je lui dois, par un délai de notre vengeance, et lui laisse la liberté de jouir, durant quelques jours, du fruit de son bienfait.

DON ALONSE

Non, non, c'est hasarder notre vengeance que de la reculer et l'occasion de la prendre peut ne plus revenir. Le Ciel nous l'offre ici, c'est à nous d'en profiter. Lorsque l'honneur est blessé mortellement, on ne doit point songer à garder aucunes mesures ; et si vous répugnez à prêter votre bras à cette action, vous n'avez qu'à vous retirer et laisser à ma main la gloire d'un tel sacrifice.

DON CARLOS

De grâce, mon frère...

DON ALONSE

Tous ces discours sont superflus : il faut qu'il meure.

DON CARLOS

Arrêtez-vous, dis-je, mon frère. Je ne souffrirai point du tout qu'on attaque ses jours, et je jure le Ciel que je le défendrai ici contre qui que ce soit, et je saurai lui faire un rempart de cette même vie qu'il a sauvée ; et pour adresser vos coups, il faudra que vous me perciez.

DON ALONSE

Quoi ? vous prenez le parti de notre ennemi contre moi ? et loin d'être saisi à son aspect des mêmes transports que je sens, vous faites voir pour lui des sentiments pleins de douceur ?

DON CARLOS

Mon frère, montrons de la modération dans une action légitime, et ne vengeons point notre honneur avec cet emportement que vous témoignez. Ayons du cœur dont nous soyons les maîtres, une valeur qui n'ait rien de farouche, et qui se porte aux choses par une pure délibération de notre raison, et non point par le mouvement d'une aveugle colère. Je ne veux point, mon frère, demeurer redevable à mon ennemi, et je lui ai une obligation dont il faut que je m'acquitte avant toute chose. Notre vengeance, pour être différée, n'en sera pas moins éclatante : au contraire, elle en tirera de l'avantage ; et cette occasion de l'avoir pu prendre la fera paraître plus juste aux yeux de tout le monde.

DON ALONSE

Ô l'étrange faiblesse, et l'aveuglement effroyable d'hasarder ainsi les intérêts de son honneur pour la ridicule pensée d'une obligation chimérique !

DON CARLOS

Non, mon frère, ne vous mettez pas en peine. Si je fais une faute, je saurai bien la réparer, et je me charge de tout le soin de notre honneur ; je sais à quoi il nous oblige, et cette suspension d'un jour,

que ma reconnaissance lui demande, ne fera qu'aug-
menter l'ardeur que j'ai de le satisfaire. Don Juan,
vous voyez que j'ai soin de vous rendre le bien que
j'ai reçu de vous, et vous devez par là juger du reste,
croire que je m'acquitte avec même chaleur de ce
que je dois, et que je ne serai pas moins exact à vous
payer l'injure que le bienfait. Je ne veux point vous
obliger ici à expliquer vos sentiments, et je vous
donne la liberté de penser à loisir aux résolutions que
vous avez à prendre. Vous connaissez assez la gran-
deur de l'offense que vous nous avez faite, et je
vous fais juge vous-même des réparations qu'elle
demande. Il est des moyens doux pour nous satisfaire ; il en est de violents et de sanglants ; mais
enfin, quelque choix que vous fassiez, vous m'avez
donné parole de me faire faire raison par Don Juan :
songez à me la faire, je vous prie, et vous ressouve-
nez que, hors d'ici, je ne dois plus qu'à mon honneur.

DON JUAN

Je n'ai rien exigé de vous, et vous tiendrai ce que
j'ai promis.

DON CARLOS

Allons, mon frère : un moment de douceur ne fait
aucune injure à la sévérité de notre devoir.

SCÈNE 5
Don Juan, Sganarelle.

DON JUAN

Holà, hé, Sganarelle !

SGANARELLE

Plaît-il ?

DON JUAN

Comment ? coquin, tu fuis quand on m'attaque ?

SGANARELLE

Pardonnez-moi, Monsieur ; je viens seulement d'ici près. Je crois que cet habit est purgatif, et que c'est prendre médecine que de le porter.

DON JUAN

Peste soit l'insolent ! Couvre au moins ta poltronnerie d'un voile plus honnête. Sais-tu bien qui est celui à qui j'ai sauvé la vie ?

SGANARELLE.

Moi ? Non.

DON JUAN

C'est un frère d'Elvire.

SGANARELLE

Un...

DON JUAN

Il est assez honnête homme, il en a bien usé, et j'ai regret d'avoir démêlé avec lui.

SGANARELLE

Il vous serait aisé de pacifier toutes choses.

DON JUAN

Oui ; mais ma passion est usée pour Done Elvire, et l'engagement ne compatit point avec mon humeur. J'aime la liberté en amour, tu le sais, et je ne saurais me résoudre à renfermer mon cœur entre quatre murailles. Je te l'ai dit vingt fois, j'ai une pente naturelle à me laisser aller à tout ce qui m'attire. Mon cœur est à toutes les belles, et c'est à elles à le prendre tour à tour et à le garder tant qu'elles le pourront. Mais quel est le superbe édifice que je vois entre ces arbres ?

SGANARELLE

Vous ne le savez pas ?

DON JUAN

Non, vraiment.

SGANARELLE

Bon ! c'est le tombeau que le Commandeur faisait faire lorsque vous le tuâtes.

DON JUAN

Ah ! tu as raison. Je ne savais pas que c'était de ce côté-ci qu'il était. Tout le monde m'a dit des merveilles de cet ouvrage, aussi bien que de la statue du Commandeur, et j'ai envie de l'aller voir.

SGANARELLE

Monsieur, n'allez point là.

DON JUAN

Pourquoi ?

SGANARELLE

Cela n'est pas civil d'aller voir un homme que vous avez tué.

DON JUAN

Au contraire, c'est une visite dont je lui veux faire civilité, et qu'il doit recevoir de bonne grâce, s'il est galant homme. Allons, entrons dedans.

Le tombeau s'ouvre, où l'on voit un superbe mausolée et la Statue du Commandeur.

SGANARELLE

Ah ! que cela est beau ! Les belles statues ! le beau marbre ! les beaux piliers ! Ah ! que cela est beau ! Qu'en dites-vous, Monsieur ?

DON JUAN

Qu'on ne peut voir aller plus loin l'ambition d'un homme mort ; et ce que je trouve admirable, c'est qu'un homme qui s'est passé, durant sa vie, d'une assez simple demeure, en veuille avoir une si magnifique pour quand il n'en a plus que faire.

SGANARELLE

Voici la Statue du Commandeur.

DON JUAN

Parbleu ! le voilà bon avec son habit d'empereur romain !

SGANARELLE

Ma foi, Monsieur, voilà qui est bien fait. Il semble qu'il est en vie, et qu'il s'en va parler. Il jette des regards sur nous qui me feraient peur, si j'étais tout seul, et je pense qu'il ne prend pas plaisir de nous voir.

DON JUAN

Il aurait tort, et ce serait mal recevoir l'honneur que je lui fais. Demande-lui s'il veut venir souper avec moi.

SGANARELLE

C'est une chose dont il n'a pas besoin, je crois.

DON JUAN

Demande-lui, te dis-je.

SGANARELLE

Vous moquez-vous ? Ce serait être fou que d'aller parler à une statue.

DON JUAN

Fais ce que je te dis.

SGANARELLE

Quelle bizarrerie ! Seigneur Commandeur... je ris de ma sottise, mais c'est mon maître qui me la fait faire. Seigneur Commandeur, mon maître Don Juan vous demande si vous voulez lui faire l'honneur de venir souper avec lui. *(La Statue baisse la tête.)* Ha !

DON JUAN

Qu'est-ce ? qu'as-tu ? Dis donc, veux-tu parler ?

SGANARELLE *fait le même signe que lui a fait*
la Statue et baisse la tête.

La Statue...

DON JUAN

Eh bien ! que veux-tu dire, traître ?

SGANARELLE

Je vous dis que la Statue...

DON JUAN

Eh bien ! la Statue ! je t'assomme, si tu ne parles.

SGANARELLE

La Statue m'a fait signe.

DON JUAN

La peste le coquin !

SGANARELLE

Elle m'a fait signe, vous dis-je : il n'est rien de plus vrai. Allez-vous-en lui parler vous-même pour voir. Peut-être...

DON JUAN

Viens, maraud, viens, je te veux bien faire toucher au doigt ta poltronnerie. Prends garde. Le Seigneur Commandeur voudrait-il venir souper avec moi ?

La Statue baisse encore la tête.

SGANARELLE

Je ne voudrais pas en tenir dix pistoles[1]. Eh bien ! Monsieur ?

DON JUAN

Allons, sortons d'ici.

SGANARELLE

Voilà de mes esprits forts, qui ne veulent rien croire.

---

1. Je n'aurais pas voulu manquer ça.

ACTE IV

Le théâtre représente l'appartement de Don Juan.

SCÈNE 1
Don Juan, Sganarelle.

DON JUAN

Quoi qu'il en soit, laissons cela : c'est une bagatelle, et nous pouvons avoir été trompés par un faux jour, ou surpris de quelque vapeur qui nous ait troublé la vue.

SGANARELLE

Eh ! Monsieur, ne cherchez point à démentir ce que nous avons vu des yeux que voilà. Il n'est rien de plus véritable que ce signe de tête ; et je ne doute point que le Ciel, scandalisé de votre vie, n'ait produit ce miracle pour vous convaincre, et pour vous retirer de...

DON JUAN

Écoute. Si tu m'importunes davantage de tes sottes moralités, si tu me dis encore le moindre mot là-dessus, je vais appeler quelqu'un, demander un nerf de bœuf, te faire tenir par trois ou quatre, et te rouer de mille coups. M'entends-tu bien ?

SGANARELLE

Fort bien, Monsieur, le mieux du monde. Vous vous expliquez clairement ; c'est ce qu'il y a de bon en vous, que vous n'allez point chercher de détours : vous dites les choses avec une netteté admirable.

DON JUAN

Allons, qu'on me fasse souper le plus tôt que l'on pourra. Une chaise, petit garçon.

SCÈNE 2
Don Juan, La Violette, Sganarelle.

LA VIOLETTE

Monsieur, voilà votre marchand, M. Dimanche, qui demande à vous parler.

SGANARELLE

Bon, voilà ce qu'il nous faut, qu'un compliment de créancier. De quoi s'avise-t-il de nous venir demander de l'argent, et que ne lui disais-tu que Monsieur n'y est pas ?

LA VIOLETTE

Il y a trois quarts d'heure que je lui dis ; mais il ne veut pas le croire, et s'est assis là dedans pour attendre.

SGANARELLE

Qu'il attende, tant qu'il voudra.

DON JUAN

Non, au contraire, faites-le entrer. C'est une fort mauvaise politique que de se faire celer[1] aux créanciers. Il est bon de les payer de quelque chose, et j'ai le secret de les renvoyer satisfaits sans leur donner un double.

SCÈNE 3
Don Juan, M. Dimanche, Sganarelle, Suite.

DON JUAN, *faisant de grandes civilités.*

Ah ! Monsieur Dimanche, approchez. Que je suis ravi de vous voir, et que je veux de mal à mes gens de ne vous pas faire entrer d'abord ! J'avais donné ordre qu'on ne me fît parler personne ; mais cet ordre n'est pas pour vous, et vous êtes en droit de ne trouver jamais de porte fermée chez moi.

M. DIMANCHE

Monsieur, je vous suis fort obligé.

DON JUAN, *parlant à ses laquais.*

Parbleu ! coquins, je vous apprendrai à laisser M. Dimanche dans une antichambre ; et je vous ferai connaître les gens.

1. Cacher.

M. DIMANCHE

Monsieur, cela n'est rien.

DON JUAN

Comment ? vous dire que je n'y suis pas, à
M. Dimanche, au meilleur de mes amis ?

M. DIMANCHE

Monsieur, je suis votre serviteur. J'étais venu...

DON JUAN

Allons vite, un siège pour M. Dimanche.

M. DIMANCHE

Monsieur, je suis bien comme cela.

DON JUAN

Point, point, je veux que vous soyez assis contre
moi.

M. DIMANCHE

Cela n'est point nécessaire.

DON JUAN

Ôtez ce pliant, et apportez un fauteuil.

M. DIMANCHE

Monsieur, vous vous moquez, et...

DON JUAN

Non, non, je sais ce que je vous dois, et je ne veux point qu'on mette de différence entre nous deux.

M. DIMANCHE

Monsieur...

DON JUAN

Allons, asseyez-vous.

M. DIMANCHE

Il n'est pas besoin, Monsieur, et je n'ai qu'un mot à vous dire. J'étais...

DON JUAN

Mettez-vous là, vous dis-je.

M. DIMANCHE

Non, Monsieur, je suis bien. Je viens pour...

DON JUAN

Non, je ne vous écoute point si vous n'êtes assis.

M. DIMANCHE

Monsieur, je fais ce que vous voulez. Je...

DON JUAN

Parbleu ! Monsieur Dimanche, vous vous portez bien.

M. DIMANCHE

Oui, Monsieur, pour vous rendre service. Je suis venu...

DON JUAN

Vous avez un fonds de santé admirable, des lèvres fraîches, un teint vermeil, et des yeux vifs.

M. DIMANCHE

Je voudrais bien...

DON JUAN

Comment se porte Madame Dimanche, votre épouse ?

M. DIMANCHE

Fort bien, Monsieur, Dieu merci.

DON JUAN

C'est une brave femme.

M. DIMANCHE

Elle est votre servante, Monsieur. Je venais...

DON JUAN

Et votre petite fille Claudine, comment se porte-t-elle ?

M. DIMANCHE

Le mieux du monde.

DON JUAN

La jolie petite fille que c'est ! je l'aime de tout
mon cœur.

M. DIMANCHE

C'est trop d'honneur que vous lui faites, Monsieur. Je vous...

DON JUAN

Et le petit Colin, fait-il toujours bien du bruit avec
son tambour ?

M. DIMANCHE

Toujours de même, Monsieur. Je...

DON JUAN

Et votre petit chien Brusquet ? gronde-t-il toujours
aussi fort, et mord-il toujours bien aux jambes les
gens qui vont chez vous ?

M. DIMANCHE

Plus que jamais, Monsieur, et nous ne saurions en
chevir[1].

_____

1. En faire ce qu'on veut (le maîtriser).

DON JUAN

Ne vous étonnez pas si je m'informe des nouvelles de toute la famille, car j'y prends beaucoup d'intérêt.

M. DIMANCHE

Nous vous sommes, Monsieur, infiniment obligés. Je...

DON JUAN, *lui tendant la main.*

Touchez donc là, Monsieur Dimanche. Êtes-vous bien de mes amis ?

M. DIMANCHE

Monsieur, je suis votre serviteur.

DON JUAN

Parbleu ! je suis à vous de tout mon cœur.

M. DIMANCHE

Vous m'honorez trop. Je...

DON JUAN

Il n'y a rien que je ne fisse pour vous.

M. DIMANCHE

Monsieur, vous avez trop de bonté pour moi.

DON JUAN

Et cela sans intérêt, je vous prie de le croire.

M. DIMANCHE

Je n'ai point mérité cette grâce assurément. Mais, Monsieur...

DON JUAN

Oh ! çà, Monsieur Dimanche, sans façon, voulez-vous souper avec moi ?

M. DIMANCHE

Non, Monsieur, il faut que je m'en retourne tout à l'heure. Je...

DON JUAN, *se levant.*

Allons, vite un flambeau pour conduire Monsieur Dimanche et que quatre ou cinq de mes gens prennent des mousquetons pour l'escorter.

M. DIMANCHE, *se levant de même.*

Monsieur, il n'est pas nécessaire, et je m'en irai bien tout seul. Mais...

Sganarelle ôte les sièges promptement.

DON JUAN

Comment ? Je veux qu'on vous escorte, et je m'intéresse trop à votre personne. Je suis votre serviteur, et de plus votre débiteur.

M. DIMANCHE

Ah ! Monsieur...

DON JUAN

C'est une chose que je ne cache pas, et je le dis à tout le monde.

M. DIMANCHE

Si...

DON JUAN

Voulez-vous que je vous reconduise ?

M. DIMANCHE

Ah ! Monsieur, vous vous moquez, Monsieur...

DON JUAN

Embrassez-moi donc, s'il vous plaît. Je vous prie encore une fois d'être persuadé que je suis tout à vous, et qu'il n'y a rien au monde que je ne fisse pour votre service.

Il sort.

SGANARELLE

Il faut avouer que vous avez en Monsieur un homme qui vous aime bien.

M. DIMANCHE

Il est vrai ; il me fait tant de civilités et tant de compliments que je ne saurais jamais lui demander de l'argent.

SGANARELLE

Je vous assure que toute sa maison périrait pour
vous ; et je voudrais qu'il vous arrivât quelque chose,
que quelqu'un s'avisât de vous donner des coups de
bâton ; vous verriez de quelle manière...

M. DIMANCHE

Je le crois ; mais, Sganarelle, je vous prie de lui
dire un petit mot de mon argent.

SGANARELLE.

Oh ! ne vous mettez pas en peine. Il vous payera
le mieux du monde.

M. DIMANCHE

Mais vous, Sganarelle, vous me devez quelque
chose en votre particulier.

SGANARELLE

Fi ! ne parlez pas de cela.

M. DIMANCHE

Comment ? Je...

SGANARELLE

Ne sais-je pas bien que je vous dois ?

M. DIMANCHE

Oui, mais...

SGANARELLE

Allons, Monsieur Dimanche, je vais vous éclairer.

M. DIMANCHE

Mais mon argent...

SGANARELLE, *prenant M. Dimanche par le bras.*

Vous moquez-vous ?

M. DIMANCHE

Je veux...

SGANARELLE, *le tirant.*

Eh !

M. DIMANCHE

J'entends...

SGANARELLE, *le poussant.*

Bagatelles.

M. DIMANCHE

Mais...

SGANARELLE, *le poussant.*

Fi !

M. DIMANCHE

Je...

SGANARELLE, *le poussant tout à fait hors du théâtre.*

Fi ! vous dis-je.

SCÈNE 4
Don Louis, Don Juan, La Violette, Sganarelle.

LA VIOLETTE

Monsieur, voilà Monsieur votre père.

DON JUAN

Ah ! me voici bien : il me fallait cette visite pour me faire enrager.

DON LOUIS

Je vois bien que je vous embarrasse et que vous vous passeriez fort aisément de ma venue. À dire vrai, nous nous incommodons étrangement l'un et l'autre ; et si vous êtes las de me voir, je suis bien las aussi de vos déportements. Hélas ! que nous savons peu ce que nous faisons quand nous ne laissons pas au Ciel le soin des choses qu'il nous faut, quand nous voulons être plus avisés que lui, et que nous venons à l'importuner par nos souhaits aveugles et nos demandes inconsidérées ! J'ai souhaité un fils avec des ardeurs non pareilles ; je l'ai demandé sans relâche avec des transports incroyables ; et ce fils, que j'obtiens en fatiguant le Ciel de vœux, est le chagrin et le supplice de cette vie même dont je croyais qu'il devait être la joie et la consolation. De quel œil, à votre avis, pensez-vous que je puisse voir cet amas d'actions indignes, dont on a peine, aux yeux du monde, d'adoucir le mauvais visage, cette suite continuelle de méchantes affaires, qui nous réduisent, à toutes heures, à lasser les bontés du Souverain, et qui ont épuisé auprès de lui le mérite de mes services et le crédit de mes amis ? Ah ! quelle bassesse est la vôtre ! Ne rougissez-vous point de mériter si peu votre naissance ? Êtes-vous en droit, dites-moi, d'en tirer quelque vanité ? Et qu'avez-vous fait dans le monde pour être gentilhomme ? Croyez-vous qu'il suffise d'en porter le nom et les armes, et que ce nous soit une gloire d'être sorti d'un sang noble lorsque nous vivons en infâmes ? Non, non, la naissance n'est rien où la vertu n'est pas. Aussi nous n'avons part à la gloire de nos ancêtres qu'autant que nous nous efforçons de leur ressembler ; et cet éclat de leurs actions qu'ils répandent sur nous, nous impose un engagement de leur faire le même honneur, de suivre les pas qu'ils nous tracent, et de ne point dégénérer de leurs vertus, si nous voulons être estimés leurs véritables descendants. Ainsi vous descendez en vain des aïeux dont vous êtes né : ils vous désavouent pour leur sang, et tout ce qu'ils ont fait d'illustre ne vous donne aucun avantage ; au contraire, l'éclat n'en rejaillit sur vous qu'à votre déshonneur, et leur gloire est un flambeau qui éclaire aux yeux d'un chacun la honte de vos actions. Apprenez enfin qu'un gentilhomme qui vit mal est un monstre dans la nature, que la vertu est le premier titre de noblesse, que je regarde bien moins au nom qu'on signe qu'aux actions qu'on fait, et que je ferais plus d'état du fils d'un crocheteur qui serait honnête homme, que du fils d'un monarque qui vivrait comme vous.

DON JUAN

Monsieur, si vous étiez assis, vous en seriez mieux pour parler.

DON LOUIS

Non, insolent, je ne veux point m'asseoir, ni parler davantage, et je vois bien que toutes mes paroles ne font rien sur ton âme. Mais sache, fils indigne, que la tendresse paternelle est poussée à bout par tes actions, que je saurai, plus tôt que tu ne penses, mettre une borne à tes dérèglements, prévenir sur toi le courroux du Ciel, et laver par ta punition la honte de t'avoir fait naître.

Il sort.

SCÈNE 5
Don Juan, Sganarelle.

DON JUAN

Eh ! mourez le plus tôt que vous pourrez, c'est le mieux que vous puissiez faire. Il faut que chacun ait son tour, et j'enrage de voir des pères qui vivent autant que leurs fils.

Il se met dans son fauteuil.

SGANARELLE

Ah ! Monsieur, vous avez tort.

DON JUAN

J'ai tort ?

SGANARELLE

Monsieur...

DON JUAN *se lève de son siège.*

J'ai tort ?

SGANARELLE

Oui, Monsieur, vous avez tort d'avoir souffert ce qu'il vous a dit, et vous le deviez mettre dehors par les épaules. A-t-on jamais rien vu de plus imperti- nent ? Un père venir faire des remontrances à son fils, et lui dire de corriger ses actions, de se ressouvenir de sa naissance, de mener une vie d'honnête homme, et cent autres sottises de pareille nature ! Cela se peut-il souffrir à un homme comme vous, qui savez comme il faut vivre ? J'admire votre patience ; et si j'avais été en votre place, je l'aurais envoyé prome- ner. Ô complaisance maudite ! à quoi me réduis-tu ?

DON JUAN

Me fera-t-on souper bientôt ?

SCÈNE 6
Don Juan, Done Elvire, Ragotin, Sganarelle.

RAGOTIN

Monsieur, voici une dame voilée qui vient vous parler.

DON JUAN

Que pourrait-ce être ?

SGANARELLE

Il faut voir.

DONE ELVIRE

Ne soyez point surpris, Don Juan, de me voir à cette heure et dans cet équipage. C'est un motif pressant qui m'oblige à cette visite, et ce que j'ai à vous dire ne veut point du tout de retardement. Je ne viens point ici pleine de ce courroux que j'ai tantôt fait éclater, et vous me voyez bien changée de ce que j'étais ce matin. Ce n'est plus cette Done Elvire qui faisait des vœux contre vous, et dont l'âme irritée ne jetait que menaces et ne respirait que vengeance. Le Ciel a banni de mon âme toutes ces insignes ardeurs que je sentais pour vous, tous ces transports tumultueux d'un attachement criminel, tous ces honteux emportements d'un amour terrestre et grossier ; et il n'a laissé dans mon cœur pour vous qu'une flamme épurée de tout le commerce des sens, une tendresse toute sainte, un amour détaché de tout, qui n'agit point pour soi, et ne se met en peine que de votre intérêt.

DON JUAN, *à Sganarelle.*

Tu pleures, je pense.

SGANARELLE

Pardonnez-moi.

DONE ELVIRE

C'est ce parfait et pur amour qui me conduit ici pour votre bien, pour vous faire part d'un avis du Ciel, et tâcher de vous retirer du précipice où vous courez. Oui, Don Juan, je sais tous les dérèglements de votre vie, et ce même Ciel, qui m'a touché le cœur et fait jeter les yeux sur les égarements de ma conduite, m'a inspiré de vous venir trouver, et de vous dire de sa part que vos offenses ont épuisé sa miséricorde, que sa colère redoutable est prête de tomber sur vous, qu'il est en vous de l'éviter par un prompt repentir, et que peut-être vous n'avez pas encore un jour à vous pouvoir soustraire au plus grand de tous les malheurs. Pour moi, je ne tiens plus à vous par aucun attachement du monde. Je suis revenue, grâces au Ciel, de toutes mes folles pensées ; ma retraite est résolue, et je ne demande qu'assez de vie pour pouvoir expier la faute que j'ai faite, et mériter, par une austère pénitence, le pardon de l'aveuglement où m'ont plongée les transports d'une passion condamnable. Mais, dans cette retraite, j'aurais une douleur extrême qu'une personne que j'ai chérie tendrement devînt un exemple funeste de

la justice du Ciel ; et ce me sera une joie incroyable
si je puis vous porter à détourner de dessus votre tête
l'épouvantable coup qui vous menace. De grâce,
Don Juan, accordez-moi, pour dernière faveur, cette
douce consolation ; ne me refusez point votre salut,
que je vous demande avec larmes ; et si vous n'êtes
point touché de votre intérêt, soyez-le au moins de
mes prières, et m'épargnez le cruel déplaisir de vous
voir condamner à des supplices éternels.

SGANARELLE

Pauvre femme !

DONE ELVIRE

Je vous ai aimé avec une tendresse extrême,
rien au monde ne m'a été si cher que vous ; j'ai
oublié mon devoir pour vous, j'ai fait toutes choses pour vous ; et toute la récompense que je vous
en demande, c'est de corriger votre vie, et de prévenir votre perte. Sauvez-vous, je vous prie, ou pour
l'amour de vous, ou pour l'amour de moi. Encore
une fois, Don Juan, je vous le demande avec larmes ;
et si ce n'est assez des larmes d'une personne que
vous avez aimée, je vous en conjure par tout ce qui
est le plus capable de vous toucher.

SGANARELLE

Cœur de tigre !

DONE ELVIRE

Je m'en vais, après ce discours, et voilà tout ce
que j'avais à vous dire.

DON JUAN

Madame, il est tard, demeurez ici : on vous y logera le mieux qu'on pourra.

DONE ELVIRE

Non, Don Juan, ne me retenez pas davantage.

DON JUAN

Madame, vous me ferez plaisir de demeurer, je vous assure.

DONE ELVIRE

Non, vous dis-je, ne perdons point de temps en discours superflus. Laissez-moi vite aller, ne faites aucune instance pour me conduire, et songez seulement à profiter de mon avis.

SCÈNE 7
Don Juan, Sganarelle, Suite.

DON JUAN

Sais-tu bien que j'ai encore senti quelque peu d'émotion pour elle, que j'ai trouvé de l'agrément dans cette nouveauté bizarre, et que son habit négligé, son air languissant et ses larmes ont réveillé en moi quelques petits restes d'un feu éteint ?

SGANARELLE

C'est-à-dire que ses paroles n'ont fait aucun effet sur vous.

DON JUAN

Vite à souper.

SGANARELLE

Fort bien.

DON JUAN, *se mettant à table.*

Sganarelle, il faut songer à s'amender pourtant.

SGANARELLE

Oui-da !

DON JUAN

Oui, ma foi ! il faut s'amender ; encore vingt ou trente ans de cette vie-ci, et puis nous songerons à nous.

SGANARELLE

Oh !

DON JUAN

Qu'en dis-tu ?

SGANARELLE

Rien. Voilà le souper.

*Il prend un morceau d'un des plats qu'on apporte
et le met dans sa bouche.*

DON JUAN

Il me semble que tu as la joue enflée ; qu'est-ce
que c'est ? Parle donc, qu'as-tu là ?

SGANARELLE

Rien.

DON JUAN

Montre un peu. Parbleu ! c'est une fluxion qui lui
est tombée sur la joue. Vite une lancette pour percer
cela. Le pauvre garçon n'en peut plus, et cet abcès
le pourrait étouffer. Attends : voyez comme il était
mûr. Ah ! coquin que vous êtes !

SGANARELLE

Ma foi ! Monsieur, je voulais voir si votre cuisi-
nier n'avait point mis trop de sel ou trop de poivre.

DON JUAN

Allons, mets-toi là, et mange. J'ai affaire de toi
quand j'aurai soupé. Tu as faim, à ce que je vois.

SGANARELLE *se met à table.*

Je le crois bien, Monsieur : je n'ai point mangé
depuis ce matin. Tâtez de cela, voilà qui est le meilleur du monde.

Un laquais ôte les assiettes de Sganarelle d'abord
qu'il y a dessus à manger.

Mon assiette, mon assiette ! tout doux, s'il vous plaît. Vertubleu ! petit compère, que vous êtes habile à donner des assiettes nettes ! et vous, petit la Violette, que vous savez présenter à boire à propos !

Pendant qu'un laquais donne à boire à Sganarelle,
l'autre laquais ôte encore son assiette.

DON JUAN

Qui peut frapper de cette sorte ?

SGANARELLE

Qui diable nous vient troubler dans notre repas ?

DON JUAN

Je veux souper en repos au moins, et qu'on ne laisse entrer personne.

SGANARELLE

Laissez-moi faire, je m'y en vais moi-même.

DON JUAN

Qu'est-ce donc ? Qu'y a-t-il ?

SGANARELLE, *baissant la tête comme a fait la Statue.*

Le... qui est là !

DON JUAN

Allons voir, et montrons que rien ne me saurait ébranler.

SGANARELLE

Ah ! pauvre Sganarelle, où te cacheras-tu ?

SCÈNE 8
Don Juan, la Statue du Commandeur, qui vient se mettre à table, *Sganarelle, Suite.*

DON JUAN

Une chaise et un couvert, vite donc. *(À Sganarelle.)* Allons, mets-toi à table.

SGANARELLE

Monsieur, je n'ai plus faim.

DON JUAN

Mets-toi là, te dis-je. À boire. À la santé du Commandeur : je te la porte, Sganarelle. Qu'on lui donne du vin.

SGANARELLE

Monsieur, je n'ai pas soif.

DON JUAN

Bois, et chante ta chanson, pour régaler le Commandeur.

SGANARELLE

Je suis enrhumé, Monsieur.

DON JUAN

Il n'importe. Allons. Vous autres, venez, accompagnez sa voix.

LA STATUE

Don Juan, c'est assez. Je vous invite à venir demain souper avec moi. En aurez-vous le courage ?

DON JUAN

Oui, j'irai, accompagné du seul Sganarelle.

SGANARELLE

Je vous rends grâce, il est demain jeûne pour moi.

DON JUAN, *à Sganarelle.*

Prends ce flambeau.

LA STATUE

On n'a pas besoin de lumière, quand on est conduit par le Ciel.

ACTE V

Le théâtre représente une campagne,
non loin de la ville.

SCÈNE 1
Don Louis, Don Juan, Sganarelle.

DON LOUIS

Quoi ? mon fils, serait-il possible que la bonté du
Ciel eût exaucé mes vœux ? Ce que vous me dites
est-il bien vrai ? ne m'abusez-vous point d'un faux
espoir, et puis-je prendre quelque assurance sur la
nouveauté surprenante d'une telle conversion ?

DON JUAN, *faisant l'hypocrite.*

Oui, vous me voyez revenu de toutes mes erreurs ;
je ne suis plus le même d'hier au soir, et le Ciel tout
d'un coup a fait en moi un changement qui va sur-
prendre tout le monde. Il a touché mon âme et
dessillé mes yeux, et je regarde avec horreur le long
aveuglement où j'ai été, et les désordres criminels
de la vie que j'ai menée. J'en repasse dans mon esprit
toutes les abominations, et m'étonne comme le Ciel
les a pu souffrir si longtemps, et n'a pas vingt fois
sur ma tête laissé tomber les coups de sa justice
redoutable. Je vois les grâces que sa bonté m'a faites

en ne me punissant point de mes crimes ; et je prétends en profiter comme je dois, faire éclater aux yeux du monde un soudain changement de vie, réparer par là le scandale de mes actions passées, et m'efforcer d'en obtenir du Ciel une pleine rémission. C'est à quoi je vais travailler ; et je vous prie, Monsieur, de vouloir bien contribuer à ce dessein, et de m'aider vous-même à faire choix d'une personne qui me serve de guide, et sous la conduite de qui je puisse marcher sûrement dans le chemin où je m'en vais entrer.

DON LOUIS

Ah ! mon fils, que la tendresse d'un père est aisément rappelée, et que les offenses d'un fils s'évanouissent vite au moindre mot de repentir ! Je ne me souviens plus déjà de tous les déplaisirs que vous m'avez donnés, et tout est effacé par les paroles que vous venez de me faire entendre. Je ne me sens pas, je l'avoue ; je jette des larmes de joie ; tous mes vœux sont satisfaits, et je n'ai plus rien désormais à demander au Ciel. Embrassez-moi, mon fils, et persistez, je vous conjure, dans cette louable pensée. Pour moi, j'en vais tout de ce pas porter l'heureuse nouvelle à votre mère, partager avec elle les doux transports du ravissement où je suis, et rendre grâce au Ciel des saintes résolutions qu'il a daigné vous inspirer.

SCÈNE 2
Don Juan, Sganarelle.

SGANARELLE

Ah ! Monsieur, que j'ai de joie de vous voir
converti ! Il y a longtemps que j'attendais cela, et
voilà, grâce au Ciel, tous mes souhaits accomplis.

DON JUAN

La peste le benêt !

SGANARELLE

Comment, le benêt ?

DON JUAN

Quoi ? tu prends pour de bon argent ce que je
viens de dire, et tu crois que ma bouche était d'accord
avec mon cœur ?

SGANARELLE

Quoi ? ce n'est pas... Vous ne... Votre... Oh ! quel
homme ! quel homme ! quel homme !

DON JUAN

Non, non, je ne suis point changé, et mes sentiments sont toujours les mêmes.

SGANARELLE

Vous ne vous rendez pas à la surprenante merveille de cette statue mouvante et parlante ?

DON JUAN

Il y a bien quelque chose là-dedans que je ne comprends pas ; mais quoi que ce puisse être, cela n'est pas capable ni de convaincre mon esprit, ni d'ébranler mon âme ; et si j'ai dit que je voulais corriger ma conduite et me jeter dans un train de vie exemplaire, c'est un dessein que j'ai formé par pure politique, un stratagème utile, une grimace nécessaire où je veux me contraindre, pour ménager un père dont j'ai besoin, et me mettre à couvert, du côté des hommes, de cent fâcheuses aventures qui pourraient m'arriver. Je veux bien, Sganarelle, t'en faire confidence, et je suis bien aise d'avoir un témoin du fond de mon âme et des véritables motifs qui m'obligent à faire les choses.

SGANARELLE

Quoi ? vous ne croyez rien du tout, et vous voulez cependant vous ériger en homme de bien ?

DON JUAN

Et pourquoi non ? Il y en a tant d'autres comme moi, qui se mêlent de ce métier, et qui se servent du même masque pour abuser le monde !

SGANARELLE

Ah ! quel homme ! quel homme !

DON JUAN

Il n'y a plus de honte maintenant à cela : l'hypo-crisie est un vice à la mode, et tous les vices à la

mode passent pour vertus. Le personnage d'homme
de bien est le meilleur de tous les personnages qu'on
puisse jouer aujourd'hui, et la profession d'hypocrite
a de merveilleux avantages. C'est un art de qui
l'imposture est toujours respectée ; et quoiqu'on la
découvre, on n'ose rien dire contre elle. Tous les
autres vices des hommes sont exposés à la censure,
et chacun a la liberté de les attaquer hautement ; mais
l'hypocrisie est un vice privilégié, qui, de sa main,
ferme la bouche à tout le monde, et jouit en repos
d'une impunité souveraine. On lie, à force de grima-
ces, une société étroite avec tous les gens du parti.
Qui en choque un, se les jette tous sur les bras ; et
ceux que l'on sait même agir de bonne foi là-dessus,
et que chacun connaît pour être véritablement touchés, ceux-là, dis-je, sont toujours les dupes des
autres ; ils donnent hautement dans le panneau des
grimaciers et appuient aveuglément les singes de
leurs actions. Combien crois-tu que j'en connaisse
qui, par ce stratagème, ont rhabillé adroitement les
désordres de leur jeunesse, qui se sont fait un bou-
clier du manteau de la religion, et, sous cet habit
respecté, ont la permission d'être les plus méchants
hommes du monde ? On a beau savoir leurs intrigues
et les connaître pour ce qu'ils sont, ils ne laissent pas
pour cela d'être en crédit parmi les gens ; et quelque
baissement de tête, un soupir mortifié, et deux rou-
lements d'yeux rajustent dans le monde tout ce qu'ils
peuvent faire. C'est sous cet abri favorable que je
veux me sauver, et mettre en sûreté mes affaires. Je
ne quitterai point mes douces habitudes ; mais j'aurai
soin de me cacher et me divertirai à petit bruit. Que
si je viens à être découvert, je verrai, sans me remuer,
prendre mes intérêts à toute la cabale, et je serai

défendu par elle envers et contre tous. Enfin c'est
là le vrai moyen de faire impunément tout ce que
je voudrai. Je m'érigerai en censeur des actions
d'autrui, jugerai mal de tout le monde, et n'aurai
bonne opinion que de moi. Dès qu'une fois on
m'aura choqué tant soit peu, je ne pardonnerai jamais
et garderai tout doucement une haine irréconciliable.
Je ferai le vengeur des intérêts du Ciel, et, sous ce
prétexte commode, je pousserai mes ennemis, je les
accuserai d'impiété, et saurai déchaîner contre eux
des zélés indiscrets, qui, sans connaissance de cause,
crieront en public contre eux, qui les accableront
d'injures, et les damneront hautement de leur autorité
privée. C'est ainsi qu'il faut profiter des faiblesses
des hommes, et qu'un sage esprit s'accommode aux
vices de son siècle.

SGANARELLE

Ô Ciel ! qu'entends-je ici ? Il ne vous manquait
plus que d'être hypocrite pour vous achever de
tout point, et voilà le comble des abominations.
Monsieur, cette dernière-ci m'emporte et je ne puis
m'empêcher de parler. Faites-moi tout ce qu'il vous
plaira, battez-moi, assommez-moi de coups, tuez-
moi, si vous voulez : il faut que je décharge mon
cœur, et qu'en valet fidèle je vous dise ce que je dois.
Sachez, Monsieur, que tant va la cruche à l'eau,
qu'enfin elle se brise ; et comme dit fort bien cet
auteur que je ne connais pas, l'homme est en ce
monde ainsi que l'oiseau sur la branche ; la branche
est attachée à l'arbre ; qui s'attache à l'arbre suit de
bons préceptes ; les bons préceptes valent mieux que
les belles paroles ; les belles paroles se trouvent à la

cour ; à la cour sont les courtisans ; les courtisans
suivent la mode ; la mode vient de la fantaisie ; la
fantaisie est une faculté de l'âme ; l'âme est ce qui
nous donne la vie ; la vie finit par la mort ; la mort
nous fait penser au Ciel ; le Ciel est au-dessus de la
terre ; la terre n'est point la mer ; la mer est sujette
aux orages ; les orages tourmentent les vaisseaux ;
les vaisseaux ont besoin d'un bon pilote ; un bon
pilote a de la prudence ; la prudence n'est point dans
les jeunes gens ; les jeunes gens doivent obéissance
aux vieux ; les vieux aiment les richesses ; les richesses font les riches ; les riches ne sont pas pauvres ;
les pauvres ont de la nécessité ; nécessité n'a point
de loi ; qui n'a point de loi vit en bête brute ; et par
conséquent, vous serez damné à tous les diables.

DON JUAN

Ô beau raisonnement !

SGANARELLE

Après cela, si vous ne vous rendez, tant pis pour
vous.

SCÈNE 3
Don Carlos, Don Juan, Sganarelle.

DON CARLOS

Don Juan, je vous trouve à propos, et suis bien
aise de vous parler ici plutôt que chez vous, pour
vous demander vos résolutions. Vous savez que ce

soin me regarde, et que je me suis en votre présence
chargé de cette affaire. Pour moi je ne le cèle point,
je souhaite fort que les choses aillent dans la douceur ; et il n'y a rien que je ne fasse pour porter votre
esprit à vouloir prendre cette voie, et pour vous voir
publiquement confirmer à ma sœur le nom de votre
femme.

DON JUAN, d'un ton hypocrite.

Hélas ! je voudrais bien, de tout mon cœur, vous
donner la satisfaction que vous souhaitez ; mais le
Ciel s'y oppose directement : il a inspiré à mon âme
le dessein de changer de vie, et je n'ai point d'autres
pensées maintenant que de quitter entièrement tous
les attachements du monde, de me dépouiller au plus
tôt de toutes sortes de vanités, et de corriger désormais par une austère conduite tous les dérèglements
criminels où m'a porté le feu d'une aveugle jeunesse.

DON CARLOS

Ce dessein, Don Juan, ne choque point ce que je
dis ; et la compagnie d'une femme légitime peut bien
s'accommoder avec les louables pensées que le Ciel
vous inspire.

DON JUAN

Hélas ! point du tout. C'est un dessein que votre
sœur elle-même a pris : elle a résolu sa retraite, et
nous avons été touchés tous deux en même temps.

DON CARLOS

Sa retraite ne peut nous satisfaire, pouvant être imputée au mépris que vous feriez d'elle et de notre famille ; et notre honneur demande qu'elle vive avec vous.

DON JUAN

Je vous assure que cela ne se peut. J'en avais, pour moi, toutes les envies du monde, et je me suis même encore aujourd'hui conseillé au Ciel pour cela ; mais, lorsque je l'ai consulté j'ai entendu une voix qui m'a dit que je ne devais point songer à votre sœur, et qu'avec elle assurément je ne ferais point mon salut.

DON CARLOS

Croyez-vous, Don Juan, nous éblouir par ces belles excuses ?

DON JUAN

J'obéis à la voix du Ciel.

DON CARLOS

Quoi ? vous voulez que je me paye d'un semblable discours ?

DON JUAN

C'est le Ciel qui le veut ainsi.

DON CARLOS

Vous aurez fait sortir ma sœur d'un couvent, pour la laisser ensuite ?

DON JUAN

Le Ciel l'ordonne de la sorte.

DON CARLOS

Nous souffrirons cette tache en notre famille ?

DON JUAN

Prenez-vous-en au Ciel.

DON CARLOS

Et quoi ? toujours le Ciel ?

DON JUAN

Le Ciel le souhaite comme cela.

DON CARLOS

Il suffit, Don Juan, je vous entends. Ce n'est pas ici que je veux vous prendre, et le lieu ne le souffre pas ; mais, avant qu'il soit peu, je saurai vous trouver.

DON JUAN

Vous ferez ce que vous voudrez ; vous savez que je ne manque point de cœur, et que je sais me servir de mon épée quand il le faut. Je m'en vais passer tout à l'heure dans cette petite rue écartée qui mène au grand couvent ; mais je vous déclare, pour moi, que ce n'est point moi qui me veux battre : le Ciel m'en défend la pensée ; et si vous m'attaquez, nous verrons ce qui en arrivera.

DON CARLOS

Nous verrons, de vrai, nous verrons.

SCÈNE 4
Don Juan, Sganarelle.

SGANARELLE

Monsieur, quel diable de style prenez-vous là ? Ceci est bien pis que le reste, et je vous aimerais bien mieux encore comme vous étiez auparavant. J'espérais toujours de votre salut ; mais c'est maintenant que j'en désespère ; et je crois que le Ciel, qui vous a souffert jusques ici, ne pourra souffrir du tout cette dernière horreur.

DON JUAN

Va, va, le Ciel n'est pas si exact que tu penses ; et si toutes les fois que les hommes...

SGANARELLE

Ah ! Monsieur, c'est le Ciel qui vous parle, et c'est un avis qu'il vous donne.

DON JUAN

Si le Ciel me donne un avis, il faut qu'il parle un peu plus clairement, s'il veut que je l'entende.

SCÈNE 5
Don Juan, un Spectre, en femme voilée, *Sganarelle*.

LE SPECTRE

Don Juan n'a plus qu'un moment à pouvoir profiter de la miséricorde du Ciel ; et s'il ne se repent ici, sa perte est résolue.

SGANARELLE

Entendez-vous, Monsieur ?

DON JUAN

Qui ose tenir ces paroles ? Je crois connaître cette voix.

SGANARELLE

Ah ! Monsieur, c'est un spectre : je le reconnais au marcher.

DON JUAN

Spectre, fantôme, ou diable, je veux voir ce que c'est.

Le Spectre change de figure et représente le Temps
avec sa faux à la main.

SGANARELLE

Ô Ciel ! voyez-vous, Monsieur, ce changement de figure ?

DON JUAN

Non, non, rien n'est capable de m'imprimer de la terreur, et je veux éprouver avec mon épée si c'est un corps ou un esprit.

Le Spectre s'envole dans le temps que Don Juan
le veut frapper.

SGANARELLE

Ah ! Monsieur, rendez-vous à tant de preuves, et jetez-vous vite dans le repentir.

DON JUAN

Non, non, il ne sera pas dit, quoi qu'il arrive, que je sois capable de me repentir. Allons, suis-moi.

SCÈNE 6
La Statue, Don Juan, Sganarelle.

LA STATUE

Arrêtez, Don Juan : vous m'avez hier donné parole de venir manger avec moi.

DON JUAN

Oui. Où faut-il aller ?

LA STATUE

Donnez-moi la main.

DON JUAN

La voilà.

LA STATUE

Don Juan, l'endurcissement au péché traîne une mort funeste, et les grâces du Ciel que l'on renvoie ouvrent un chemin à sa foudre.

DON JUAN

Ô Ciel ! que sens-je ? un feu invisible me brûle, je n'en puis plus, et tout mon corps devient un brasier ardent. Ah !

Le tonnerre tombe avec un grand bruit et de grands éclairs sur Don Juan ; la terre s'ouvre et l'abîme ; et il sort de grands feux de l'endroit où il est tombé.

SGANARELLE

[Ah ? mes gages ! mes gages !] Voilà par sa mort un chacun satisfait. Ciel offensé, lois violées, filles séduites, familles déshonorées, parents outragés, femmes mises à mal, maris poussés à bout, tout le monde est content ; il n'y a que moi seul de malheureux, qui, après tant d'années de service, n'ai point d'autre récompense que de voir à mes yeux l'impiété de mon maître punie par le plus épouvantable châtiment du monde. [Mes gages ! mes gages ! mes gages !]

Pour en savoir plus...

(Pocket n°6079)

Prolongez vos lectures des grands textes du patrimoine littéraire français avec les titres de la collection Pocket Classiques. Présentés et annotés par des spécialistes universitaires, ils vous permettront de :
- **Lire** le texte intégral et la préface présentant l'auteur et son œuvre ;
- **Comprendre,** avec « Les clés de l'œuvre » ;
- **Approfondir**, avec les lectures croisées et la filmographie.

Pocket Classiques, une nouvelle manière de lire et de comprendre les classiques en un seul volume.

Cet ouvrage a été composé par
PCA - 44400 REZÉ

Impression réalisée sur Presse Offset par BRODARD ET TAUPIN
25048 – La Flèche (Sarthe), le 30-07-2004
Dépôt légal : août 2004

POCKET – 12, avenue d'Italie - 75627 Paris cedex 13
Tél. : 01.44.16.05.00

Imprimé en France